ゆめつげ

畠中 恵

角川文庫
15105

#　第一章

1

清鏡《せいきよう》神社の神官兄弟は先刻から、総身が闇のような気配の武士に、跡をつけられていた。

からりと晴れた江戸の空の下を、名刹《めいさつ》建ち並ぶ上野の山の端近くから、大川方面に向かって歩いてしばし。町家《まちや》が途切れて、両側に武家屋敷と寺の塀が続くようになったとき、その剣呑《けんのん》な男は姿を現したのだ。

「やれ、黒船が現れてからこっち、世の中何とも騒々しいねぇ」

川辺弓月《かわべゆづき》がのんびりした声を出すと、弟の信行《のぶゆき》が険しい目で見返してきた。四つ年下の生真面目な弟は、今年十八の涼やかな若者だったが、年寄りのように気苦労が多い。

まあそれも無理ない話で、十年前に現れたペリーというアメリカ人提督は、たった四隻の船で、お江戸の安穏とした雰囲気を吹き飛ばしてしまった。昨年あたりから江戸では、徘徊《はいかい》する浪士の姿が大層増え、それと共に辻斬《つじぎ》りも多くなっている。

「兄さん、後ろの奴……殺気が凄《すご》いですよ」

信行の切迫した声に、弓月は変わらない調子で返事をした。

「分かっているけどね。でも今は上り坂だからなぁ」

ここで逃げ出しても、すぐに間を詰められて、斬られてしまう気がする。

「じゃあ、どうするんですか？」

「少し先の築地《ついじ》の上に、大きな松の枝が掛かっている場所が見えるだろう？　確かあの先が、ゆるい下りになっているはずだ。あそこまで行ったら走ろうか」

二人が歩いている道は、幅は二間ほどあるが両側の塀は高く逃げ場がない。命がけの遁《とん》走《そう》になりそうだねと小声で明るく言うと、弟が不満をこぼした。弓月にはこういうときにふさわしい緊張感が、不足していると言うのだ。

「あのさ、信行。怪談じゃあないんだから、おどろおどろしい物言いをしたって、始まらないじゃないか」

「私は何も兄さんに、大仰な喋《しゃべ》りをしろと言ってるわけじゃないんですよ」

「大体私は今、芝居の口調を真似する気にはなれないよ。先にかかった中村座の新作、あれはなんだい？　どうにも酷《ひど》かった」

「……よくこんなときに、馬鹿を言ってられますね。ああ、情けない。こんな兄を持ったおかげで、私は苦労ばっかりしてますよ」

「なんだい、その言いようは」

話している間に、松の枝が頭の上に来て、弓月の視線がちらりと弟に向いた。瞬時に二人はなだらかな坂を駆け下る。後ろの武士も走り出したのが、ついてくる足音で分かった。兄弟とも白の着物に浅黄《あさぎ》の袴《はかま》という神官の日常着姿だったから、走るには都合が良い。特段足に自信のある方ではなかったが、若い男が懸命に走れば、そう簡単には追いつかれないはずであった。その間に人目の多くある場所まで行きつけたら、命が助かる。

ところが。

「に、兄さん、あれっ」

弟の悲鳴に似た声を聞くまでもなかった。塀ばかりが続いて、とんと人通りのなかった道の先に、母子連れらしい姿があったのだ。

「お前さんたち、走れっ」

二人は弓月の大声に驚いたらしく、立ち止まってこちらを見ている。唇を噛《か》みしめると、弟に「子供を」と短く言ってから、己はすれ違いざま母親らしき女の手を摑《つか》み、引きずるようにして走り続けた。

「何するのっ」

目を剝《む》く女に後ろを指さす。

「辻斬り」

短い一言を聞いて、女も必死に走り出した。

（まずいなぁ）

弟たちの後ろ姿を見ながら、弓月は顔をしかめていた。先を行く男の子は子供と言っても、弟より三つ四つ年下というところか。足は速く、二人は心配ないようだ。弓月たちを引き離して、どんどん先へ行く。

問題は己らで、下駄《げた》を履いた女を連れていては、直《じき》に追いつかれてしまうだろう。どうしようもなくなったら、弓月が盾になるしかなさそうだが、殺されてやったとしても、辻斬りが女を逃がすとも思えない。

（それにこんなところで死んだら犬死にだと、弔いの席で父上に文句を言われること、請け合いだ）

ため息をついている間に、隣で女がつまずいた。咄嗟《とっさ》に腕を摑んだので転びはしなかったが、一気に間を詰められてしまう。いよいよ切羽詰まってきた。あの世や三途《さんず》の川に詳しくなるのも、間近のようだ。

（やはり人間、気の進まないことをすると、ろくなことがないな）

礼と情に動かされて白加巳《しらかみ》神社に行く約束をしなければ、今日、この辺りを歩いていることはなかったはずだ。まったく何が末期の時を決めるか、分かったものではない。

首筋を触れられた気がするほど近くに、気配を感じて振り向くと、背後の辻斬りが鯉口《こいぐち》を切ったところであった。目が合う。武士は弓月より大分年上に見えたが、まだ若い。ごつい顔の上の双眼には、己への迷いも疑いもまったくないように見える。

(狂人の目だ)

すらりと抜かれ蒼天《そうてん》にかざされた刀に、一瞬、弓月は見とれた。これから己たちを殺すであろう凶器は、高直《こうじき》な物とも見えなかった。だが既に数多《あまた》の血を吸っているためか、日の光を受け、魂を吸い取りそうな恐ろしい美しさを見せている。

(ああ、斬られるんだ……)

辺りに鋭い金属音が響いた。その音は倒れ込んだ弓月の思いを、十日前のある出会いへと運んでいった。

2

川辺親子が神職を務めている清鏡神社は、江戸は上野の端にある。錚々《そうそう》たる伽藍《がらん》が並ぶ土地柄にあっては何とも目立たない、小さなお社だった。

神仏習合が行き渡っている中、多くの神社には、『神宮寺《じんぐうじ》』と呼ばれる寺が付属して営まれている。だが清鏡神社では、大概の神社にいる社僧――神社に所属して仏事を修する僧侶《そうりょ》――さえ、他の神社と兼任であったので、内に住んではいなかった。母亡き後は、神職に就いている父子三人が、数多とは言えない氏子《うじこ》たちに支えられつつ、日々の勤めを果たしている。

その小社の鳥居を、紫の袴をはいた人物がくぐったのは、よく晴れた日の、ほどなく昼八つになろうかという刻限のことだった。

「あれまあ、宮司《ぐうじ》様、お客様だよ」

庭に現れたその客の姿を最初に目に留めたのは、庁屋《ちようのや》に上がり込んでいた氏子のおきえ婆《ばば》だった。近くの小さな米屋の隠居は暇だと見えて、清鏡神社にしょっちゅう、瑣末《さまつ》なことを相談しに来ている。

「ここなら無くなった櫛《くし》の行方くらいは、占ってもらえるからね。孫が泣いているんだよ」

というわけだ。その婆にも、客は境内から愛想良く微笑んだ。

「突然伺って申し訳ない。ご迷惑でなければよいのですが」

従者を一人連れた、三十には届かないように見えるその人物は、白加巳神社の権宮司《ごんぐうじ》で佐伯彰彦《さえきあきひこ》と名乗った。

「これはこれは。白加巳神社の社家の!」

父である宮司はその名に心当たりがある様子だったが、兄弟の方は年季が入っていない分、どうにも客のことが分からない。それでも慌てて庁屋に招き入れた客に茶を出すと、貴人のごとき風貌《ふうぼう》の権宮司は、ゆったりとした物腰で礼を言い、父と話している。

（さて、この先どう応対したものか）

困った弓月は、縁側に控えて座っている従者に茶を差し出したとき、それとなく、主《あるじ》がどういうご身分の方なのか教えを請うた。

宮司、権宮司と言ったとて、その地位には大きな差があるのだ。清鏡神社のような市井の片隅に小さくある社でも、その神社の神職の長であれば宮司を名乗る。しかし同じ職階を名乗っていても、尊崇の篤《あつ》い、高い社格を誇る神社の神職ともなれば、それは川辺家の神職三人とは、立場が違った。

武士にも、お大名から内職をしなくては生活すら成り立たない小禄《しょうろく》の者までいるのと似ていて、身分違いという言葉がここにもあった。誰もに同じ気さくな態度を取るわけにはいかないのだ。それと察したらしい従者は、幾分誇らしそうに小声で、佐伯と名乗った神職の出自を告げた。

「主は山城国《やましろのくに》、本宮白加巳大社の社家、佐伯家に繋《つな》がるお血筋の出であられまして。神君家康《いえやす》公の御代に江戸に別社ができましたとき、その白加巳神社の宮司として、佐伯家の正英《まさひで》様という方がこちらに参られました。それ以来御子孫が白加巳神社の社家として、神社を守っておられます」

「それは……古いお家柄なのですね」

どうやら日ごろ、とんとつきあいのない家格の者の訪問らしかった。

「佐伯本家は平安の御代《みよ》の初めから、白加巳大社の宮司を務めて来られたと聞いております」

「何と、では千年以上も……」

代々、それぞれの神社の神職を世襲で出す一族を社家という。その中には神代の、天《あま》の岩戸《いわと》の物語中に、始祖である人物がおわす一門もあるという話を、一応神職にある弓月は聞いたことがあった。遥《はる》か長きにわたって、神にお仕えしてきた人たちなのだ。

（どうりで佐伯彰彦というお方は、俗世とはかけ離れた雰囲気をお持ちのはずだ）

きっと神様とも近しいのだろう。

川辺家の方は祖父の代に神職に就いたという話で、その前は武士だったということだが、どうだか怪しいものだと弓月は思っている。

（それは良いとして……そんなご立派な先祖を抱えたお方が、何故こんな小社に急に来られたのかね）

彰彦は周りの戸惑いを感じたのか、再びゆったりと微笑むと、部屋の隅に座っている弓月の方へ、つと顔を向けた。

「清鏡神社のご長子で、弓月さんと言われるのは、そちらのお方ですか？」

いきなり名を呼ばれて、弓月はわけもなく背筋をしゃんと伸ばした。父と弟が、揃ってきつい眼差《まなざ》しをこちらに向けてくる。

「うちの禰宜《ねぎ》が、何かご迷惑をおかけしたのでしょうか」

名が上がったのが信行の方だったら、父はこんな問いをしないはずで、苦笑が浮かんだ。彰彦も笑い声を出している。

「いえ、とんでもない。実はこちらの弓月さんが、『夢告《むこく》』がおできになると伺いまして」

「えっ。それはそのぉ、『夢告《ゆめつげ》』のことですよね」

『夢告《むこく》』とは、『夢解き』または『夢占《ゆめうら》』、つまり夢判じをすることだ。神社が行う神託の一つで、託宣とも言う。夢の中で神が語りかけてくるものとされている。人を介して神の言葉を、他の者に伝えるのだ。清鏡神社では、これを「むこく」とは言わず、「ゆめつげ」と呼んでいる。「ゆめ」の示すことを「つげ」るのだと言った方が、氏子らに納得してもらいやすいからだ。

神社では古来様々な占いがなされてきた。琴を弾いて巫女《みこ》を神懸かりに誘う『琴占』や、熱湯を使う『湯立《ゆだて》』を行うところもある。粥《かゆ》を炊きあげて占う『粥占』や、亀甲《きっこう》を焼きその亀裂の状態を見て占う『亀卜《きぼく》』というものもあった。

『神懸かり』や『夢告』を行う巫女などの身は、変容……常にはない行状を示すと言われていた。つまり神懸かるのだ。突然神をその身に迎え、言葉を発したり夢を見たりする。神官が、神をお迎えすべく儀式を行い、託宣を受けることもある。

弓月たち兄弟が住まう清鏡神社では、その名の由来ともなった鏡を用いて、『夢告』を行っていた。曾祖父《そう》が得意としていたそうで、その血を引き継いだと言われる弓月が占っていた。問題は色々とあったが。

「神官の中には、時折『夢告』を得意とされる方がおられます。こちらの川辺家の先代夫人は、京にある古い社家、神代《かみしろ》家当代の、曾祖父の従兄弟《いとこ》の娘の息子の子供にあたる方だと聞き及びました。そういうわけで、弓月さんの『夢告』は別格だと。それで訪ねてまいったわけでして」

弓月は話を聞きながら、一寸呆然《ちょっとぼうぜん》としていた。父も弟と顔を見合わせている。彰彦が語った複雑な血筋の関係は、一言『赤の他人』と言い表せば、一番適当だという気がした。しかし相手は大真面目な様子だ。第一無関係だと言っては、わざわざ訪ねて来られた権宮司に対して失礼な気がして、誰も口を開けない。

彰彦に真っ先に返事をしたのは、何とおきえ婆だった。面白そうな話が始まると察したのか、帰りもせずに部屋の隅に座っていたのだ。

「神官様、そりゃあお兄ちゃんは、鏡の中に夢を結んで、占いをすることができますよ。氏子の間じゃ有名な話で、本当に見えるんですよ。白昼夢っていうんですか。でもね、その占いが役に立つかというと、一寸別の話になるんでねぇ」

高名な社家だの、神代の始祖だのと言われても、お婆にはぴんとこないのだろう、大して恐れ入った様子もなく、しゃきしゃきとした口調で彰彦に話しかけている。

「いなくなった猫を捜してくれとお兄ちゃんに頼んだら、何年も前に行き方知れずになっていて、とっくに骨になった猫を見つけたんですよ。病に効く薬草がどこかに生えていないかと聞けば、唐《もろこし》の国にあるというし」

答えは出てくるのだが、まったくもって弓月の夢告は壺《つぼ》にはまったことがないと、お婆は大仰に嘆いて見せている。彰彦は面白がっているような表情を浮かべた。

「お兄ちゃんとは……弓月禰宜のことですよね？」

「神官様、この辺の者たちは誰もそんなご大層な名で、お兄ちゃんを呼んだりしないんですよ。だってそれじゃあ、お偉い方みたいで、別の人に声を掛けている気がしちまうでしょう？」

「そういえば、随分禰宜、なんて名で呼ばれていない気がするな」

言いたい放題のお婆の言葉を聞いても、弓月は面白げに笑うばかり。これに信行から厳しい声がかかった。

「兄さん、そこで一緒に笑ってどうするんです！　仮にも神に仕える身で、この神社の跡取りなのだから、もう少し威厳を持っていただかないと」

「信行、お前だって私の占いは使い物にならないと、いつも言っているじゃないか」

「だからそのことを客人の前で、笑いながら言わないでくださいと頼んでいるんですよ！」

「本当に、信行さんの方が弟で良かったよ。あんたなら養子の口もあろうってもんだ。お兄ちゃんじゃ、心配だからねぇ」

「お婆っ！」

いつの間にやら、お婆を巻き込んでの兄弟喧嘩《げんか》になってしまっている。横でため息をついている宮司《ぐうじ》を見て、上座に座った彰彦は、こみ上げる笑いをかみ殺している。その後、ふっと真面目な表情を浮かべると、頼み事をしてきた。

「実は白加巳神社の氏子《うじこ》さんから、相談をされていることがありましてね。ご存じかもしれませんが、蔵前《くらまえ》に青戸屋《あおとや》さんという札差《ふださし》がおいでだして」

一人息子の新太郎が、もうずっと行き方知れずなのだという。捜すのに協力を求められたが、今一つ、うまくいっていない。そんなおりに、神官の知人から弓月の夢告のことを聞き及び、是非とも子の行方を見て欲しいと、思い立って来たというのだ。

「あの……今、話にも出ました通り、弓月の夢告というのは……余り役に立ったことがなく……」

真剣な頼み事と知り、宮司は逃げ腰になって僅《わず》かに後ずさった。だが彰彦は身を乗り出すと、柔らかく絡めるように言葉を重ねてくる。

「どう結果が出たとて、文句を言うことはしません。それにもちろん、占いへの礼はきちんとさせていただきます」

「いえ、あの……」

「蔵前の札差といえば、お大尽が多いので有名ですが、青戸屋さんもそれは裕福でしてね。おまけに吝嗇《けち》ではない」

そうと聞いて、父が天井の小さな染みに視線を向けたのを、弓月は見逃さなかった。清鏡神社の庁屋《ちようのや》の屋根は、いい加減直さなくてはならない状態なのだ。放っておいて雨漏りが酷《ひど》くなったら、あの染みは武蔵国《むさしのくに》ほども大きくなるかもしれない。

しかし清鏡神社には、今は修理を行うゆとりがない。屋根の補修だとて、庁屋よりも本殿や拝殿が優先なのだが、それすら遅れがちであった。宮司の顔が情けなさそうに弓月を見てくる。

(父上、困っているなぁ)

息子の占いを信用していないのは、お婆と同じだろう。それでも修繕費のために心が迷い、はっきり断れないでいるのだ。

(うーん、これは……どうなるかは分からないが、やってみるしかないかな)

小声でそう伝えると、父がほっとした表情を浮かべる。

「分かりました。弓月、とにかく精一杯、占わせていただきなさい」

仕方がない。雨は、これからも降るし、清鏡神社の氏子が増えるあてもない。さっそくに占おうという話になり、支度のために黙って立ち上がった弓月たち兄弟に代わって、その心中を言い表したのは、またしてもおきえ婆だった。

「それにしても神官様、当たるとも思えない占いに金を払おうなんざ、随分と度胸の良いことでございますねえ」

ここで笑い出したら、また父に文句を言われる。弓月は大急ぎで、夢告に使用する神鏡を取りに、部屋を出て行った。

3

弓月の行う夢告は、時や場所を選ばない。例えば本殿内でなくてはならないとか、月夜に限るとか、丑三《うしみ》つ時に行うとか、そういった制約はなかった。都合は良いがお手軽に見え、ちょいとばかり威厳に欠けていたが、仕方がない。

「まず、場を清める湯立を行います」

夢告をする庁屋の一室に、信行が熱湯を満たした大釜《おおがま》を運び込んだ。弓月はその中に笹の葉を浸すと、それをやおら、己と周囲に振る。細かい湯の粒が部屋の中に、にわか雨のように降りかかった。彰彦らの目が、見開かれるのが分かった。

それが終わると御神座と定めた一面に、御幣《ごへい》というものを左右に数本ずつ立てる。普段祓具《はらえぐ》としても使う、紙を両脇に垂らした棒のようなものだ。その中央に弓月は神社の名の由来ともなった、美しい神鏡を据えた。鏡の上に左尊右卑ということで、神様から見て左を上位にしめ縄をかける。

烏帽子《えぼし》を正し、弓月はその前に静かに座った。祝詞《のりと》を唱えながら向き合い、気を集めればやがて、鏡の内に白昼夢を見る。それを読み解くのが弓月の夢告だった。

この占い、当たらないといたって評判が悪い。にもかかわらず、父でも弟でもなく、弓月が夢告をするのにはわけがあった。

「それでは、札差青戸屋幸右衛門《こうえもん》さんのご子息、新太郎さんの行方を占わせていただきます」

両脇から家族と客らに見守られながら鏡に向き合った弓月は、少々緊張した顔で、ゆっくり祝詞を唱え始める。今日は大祓詞《おおはらえのことば》であった。

（参ったねぇ。ちゃんと見えるだろうか）

祝詞はその日に気が向いたものを唱えるし、鏡も御神鏡であれば、どれと決めていなくとも占いに差し障りはない。これまた、誠に己らしいと思う、いい加減さだった。

（新太郎さんは……どこにいる？）

「高天原《たかまのはら》に　神留《かむづま》り坐《ま》す　皇親神漏《すめむつかんろ》岐《き》　神漏《かむろ》美《み》の命《みこと》以ちて　八百万神《やおよろずのかみ》等を　神集《かむつど》へに集へ賜《たま》ひ　神議《かんはか》りに議り賜ひて　我が皇御孫命《すめみまのみこと》は　豊葦原《とよあしはら》　水穂国《みずほのくに》を　安国《やすくに》と平《たい》らけく……」

流れるように口からこぼれる祝詞は、ゆったりと部屋の中を満たしていく。暫《しば》くすると、斜め後ろに座っていた彰彦が、小さく息を呑《の》むのが分かった。

いつものように眼前の鏡自体が、白く清浄とした光を含んだように、ふわりと輝きだしたのだ。白光は弓月以外の者にも見えるらしく、この不思議を神威と感じるのか、誰も占いを嘘だとは言わないのだ。曾《そう》祖父の代でも鏡は光ったという話だ。だがそのわけなど、弓月にもさっぱり分からなかった。

光に目を凝らす。ほどなく己の身を感じられなくなる。次に鏡の中に落ちていくような、くらくらとする思いにかられた。部屋も鏡も御幣も目の前から吹き飛び、消えていく。足が地につかず、ただ真っ白い中に浮いているかのように感じた。部屋の代わりに何かが、滲《し》み出すように現れてきた。

(これは何だろう……櫛?)

朱色の小さな物が、目の前をひたすらに落ちてゆく。その向こうから誰かを呼ぶ声がするのだが、名までは分からない。落ちてゆく。気がつくと弓月は、初めて見るどこかに立っていた。変わった風景だった。人気はない。

(はて、私は子供の行方を捜していたはずなんだが)

見ようとしたことと夢告《ゆめつげ》が、奇妙にずれている気がする。わけの分からぬ夢なら珍しいものではなかったが、今回は己でも驚くほど夢自体がはっきりとしている分、不安が募ってきた。

（どうしたのだろうか）

不意に、恐怖が背中を走った。

「えっ？」

見れば足元が燃え上がっている。首《こうべ》を巡らせると、辺り一面に赤い炎が広がっていた。

弓月は大急ぎでその場から駆けだした。急いで走らなければ危ない気がする。命まで取られそうな、そんな危うさを感じる！

（だって、私は知っているのだから……）

何なのだ、己は何を知っているというのだ？　どうして今回の夢見は、こんなにも不可思議なのだろう。走って走って走って、いい加減息が切れ、やっと足を止めたとき、額が濡《ぬ》れているのが分かった。

（ふうっ）

汗を手で拭《ぬぐ》った。ふと見るとその手に、べっとりと真っ赤な血が付いている。その意味が頭にひらめいた。

（私は斬られるのだ。殺される！）

何故かと言えば、弓月は知っているからで、見えないふりをしているからで、子供は、新太郎は、分かっている、いない、どうして、息が苦しいのはいつもと違う何故に私は私はわたしは……！

「兄さんっ、どうしなすった？」

体が大きく揺さぶられていた。頭の上から落ちてくる大声に、目が開く。神鏡に己の顔が映っていた。青白く汗が浮かんでいる。信行が横から弓月を抱え込むようにして、心配そうな目を向けてきていた。父や客らも、身を乗り出し気遣わしげな様子だ。

弓月はほっと大きく息をついた。

「……ここは、庁屋か」

「今回はいつになく、酷く苦しげな様子だったけど、兄さん、何が見えたんです？」

「落ちていった」

最初に見たもののことが、口から転げ出た。他の夢についても言うべきだろうか。大体炎や血が、新太郎とどう関係があるというのだ？

「櫛が……朱の色をしていた」

「はあ？」

「あと、声と炎。それに……恐怖」

「何ですか、それは」

信行たちが顔を見合わせている。いつものことながら、弓月の占いは分かりにくい。皆は一時黙ってしまった。

（新太郎さんという子と、何がどう、関係しているのだろうか）

どう考えても、とんと分からない。そんな中で隅にいたおきえ婆が、ぽんと一つ手を叩《たた》いた。

「あれま、もしかしてお兄ちゃん、あたしが頼んだ櫛の行方を、見てしまったのかね」

「あ……そういえば、今日婆様が捜していたのは、櫛だったな」

一同顔を見合わせる。弓月のことだから、きっとそうに違いないという話になった。

「落ちてゆく、ねぇ」

それならばと、皆で庁屋から出た。神社内でその言葉が当てはまる場所と言えば、井戸しかない。お婆の孫は、境内で遊んでいるときに櫛を落としたのだろうと、信行が推測したのだ。

「井戸の内を子供が覗《のぞ》き込んでいたら、普通叱りますよね、危ないから」

だから櫛があるのは庁屋から見える方ではなく、裏参道近くの涸《か》れ井戸だろうと見当をつけ、境内を歩んでゆく。弓月はまだ夢の内で揺れ続けている気がして、遅れぎみに後に従った。涸れ井戸につくと信行は、体を近くの木に縄で繋《つな》ぎ、さっさと中に降りて行く。その姿に、彰彦に付いてきた従者は目を丸くした。

「そんなことは、私がしますのに」

「お客人にさせられやしませんよ。慣れています。ご心配なく」

清鏡神社では何でも己でやらなくては、やっていけないのだ。ほどなく信行は、手に小さな朱《あか》い櫛を持って、涸れた井戸から上がってきた。

「父上、この欠けた井戸の蓋《ふた》は、もう外した方がいいですね。すっかり腐っている。なまじあった方が、危ないかもしれませんよ」

そう言いながらお婆に見つけた櫛を差し出す。白く描かれている花を見て、お婆は顔をほころばした。

「これは珍しいこと。お兄ちゃんの占いが、役に立ったよ」

「お婆！ 今占っていたのは、子供の行方だ」

宮司《ぐうじ》ががっかりしたような声を出しながら、井戸から蓋をどかしている。こんな結果では占いの礼など望むべくもなく、余計に腐った蓋が重く感じられるからだろう。ところが、騒いだあげくに夢告が空振りをしたというのに、井戸端に立つ彰彦の方は、いたって機嫌の良い様子だった。

「……これは凄《すご》い。本当に、部屋の内からこんな物が見えるんですね」

お婆から櫛を貸してもらって、まるで珍《めずら》かなお宝でもあるように眺めている。やがてにこりと笑うと、懐より小さな袱紗《ふくさ》の包みを取り出し、宮司の手の上に乗せてきた。

「これはお約束のお礼です。些少《さしょう》ですが」

「そんな……役にも立ちませんでしたのに」

言葉はしおらしいが、宮司は包みを強くは返せないでいる。涸れ井戸の蓋は急いで直さないと、櫛の代わりに今度は、境内で遊ぶ子供たちが中に落ちかねないからだ。

「いえ、こちらも悪いのですよ。実は、行方知れずの新太郎さんの一件には、複雑な話がありましてね。いきなりでは長くなりますので、お伝えしていなかったのです。多分そのせいで、明瞭《めいりょう》には見えなかったのでしょう」

彰彦の人の良い言葉に、宮司はうっかり背中を踏んづけられた猫のような声を出した。彰彦は横を向くと不意に、ぼんやりと立っていた弓月の手を握りしめた。

「弓月禰宜《ねぎ》、お願いがあります。お手数ですが、後日、白加巳神社まで来ていただけませんか」

「はあ？　え……と、何のために？」

「今度こそ夢告の前に、青戸屋の新太郎さんについて、ゆっくり話をします。その上でもう一度、夢告をして欲しいのですが」

この申し出に川辺家の三人は、蒼天《そうてん》の下、似たような驚きの声を出した。

「へっ？　また占うのですか？　今日とて……この有様だったのに……」

「次はきっと大丈夫ですよ。それに夢告をするのなら、是非に立ち会いたいと、青戸屋夫婦や他の人たちもおっしゃっていまして。ご心配なく、そのときはまた別に、お礼をさせていただきます」

(役に立たなかった占いを、どうしてもう一回やりたいなどと、思うんだろうかね？)

川辺家に、誰ぞの曾祖父の従兄弟《いとこ》の娘の息子の子供の血が、流れているからだろうか。

(何だか、からかわれているような気分だよ)

弓月は己が逃げ腰になっているのが分かった。いっそ部屋を出たかったが、彰彦がしっかりと手を握っていて離さない。彰彦もお大尽である青戸屋に頼まれたので、引けないのかもしれない。

(占うことはできても、当たるとは限らないしねえ)

真剣な話だけに、いつものように気軽には引き受けられなかった。己の『夢告』に対して、弓月はいかなる幻想も抱いてはいない。常ならぬものが見えているのは確かだが、余り人に喜ばれた覚えがない。占いのための金や暇は、他に使った方が役に立つと思う。

弓月の気の進まない様子を察したのだろう、木陰に控えていた彰彦の従者が、心を惑わす誘惑を、宮司の方に差し出してきた。

「あの……私ごときがこう申し上げてはなんですが、佐伯家と面識を持たれることは、こちら様の将来のためにも、良いことだと思うのですが」

特に、先々養子のあてを探さなくてはならない次男を抱えている場合は。従者の話は明らかに壺《つぼ》にはまったらしい。宮司は両の眉尻《まゆじり》を気弱そうに下げ逡巡《しゅんじゅん》しつつも、話を受けたそうな様子を見せてきた。

（参ったね、こう話をもってきたか）

生真面目な父が、雨漏りと息子の行く末に押し潰《つぶ》されそうになって考えているのが見えて、弓月は今度も断ることができない。

「宮司、まあ……権《ごん》宮司が来て欲しいとおっしゃっているのですから、一度顔を出すくらい、構わないでしょう」

「ありがとうございます。彰彦と呼んでくださって構いませんよ。堅苦しいのは苦手なご様子だ」

そうにこやかに言われて、弓月は苦笑ぎみに、ぺこりと頭を下げた。

（参ったなぁ。私の不安はさて置くとしても、『夢告《ゆめつげ》』で本当に、新太郎さんの行方を見つけられるだろうか。自信などさっぱりないし……）

だが青戸屋は蔵前の札差《ふださし》なのだから、謝礼のことでの遠慮は、必要ない気もする。武家相手の高利貸しもする札差は、尋常とも思えぬほどの金遣いをすることで、有名であった。その財力に物言わせ、『蔵前風』なる着物の流行まで作っている。宮司の手にちょんと乗るほどの金子《きんす》の行方を、青戸屋が気にするとはとても思えない。

（しょうがない、一回青戸屋さんに夢告を見せて、どういうものなのか納得してもらえばいいのさ。そうすれば彰彦さんの顔が立つだろうし、屋根も直せる）

そう結論を出して、弓月は蔵前にほど近い白加巳神社に行くことを決めた。占い自体に大した手間がかかるわけではなく、用は早々に終わるはずであった。

そのはずだったのだ。

4

（これが、不安の大本だったのか……）

振り下ろされてきたのは、弓月を殺すための輝く刃《やいば》だ。

〝急いで走らなければ、命まで取られそうだ。酷《ひど》く危うい！〟

先日清鏡神社で行った占いの中で、己が感じた危うさは、これだったのだろうか。新太郎を捜していたはずが、いつの間にか己のことを見ていたのだろうか。何故に、知らぬ間に我が身の命を惜しんで、そんな夢告をしたのか。

頭上で鋼の硬い音がした。弓月は道端に倒れ込む。

（お……や、まだ生きている？）

転がって驚いた。斬られていない。顔を上げると、浪士の刀を十手が受け止めていた。

岡っ引きにしか見えない姿の者が、手妻《てづま》のように現れていた。

「い、いつの間に……」

二人が組み合っている間に、脇にいる下っぴきらしい者が、辻斬《つじぎ》りの足を狙って捕り縄を投げた。辻斬りは慌てて身を引いたが、逃げ場のない道にいる不利が、今度は己に跳ね返ってきている様子だ。二人の捕り手に挟まれながら、辻斬りはじりじりと塀際に追いつめられてゆく。

そのとき辻斬りが横っ跳びに、近くに立ちすくんでいた女に飛びついた。首に刃を突きつけられ、女が短い悲鳴をあげる。

岡っ引きたちがぴたりと動きを止めた。その瞬間、辻斬りが女を力の限りに、岡っ引きに向かって突き飛ばした。

「ひっ」

聞こえたのは、誰の悲鳴だったのだろう。女共々倒れ込んだ岡っ引きの横をすり抜けると、辻斬りは刀を振り回して下っぴきをもやり過ごし、一散に駆けだして行く。

(……良い判断だ)

ゆっくりと身を起こしながら、弓月はその後ろ姿に感心していた。二人の捕り手に挟まれたのだから、ここは逃げるが一番だ。

(人を殺《あや》めようとしていたときに、冷静にそう考えられるとはね。辻斬りはよほど、殺しに慣れているのだろうか)

女と岡っ引きが立ち上がったころには、その後ろ姿は小さくなっており、やがて突然消えた。どこぞに横道でもあったのかもしれない。あとを追っていた下っぴきが、じきに渋い顔で帰ってきた。

「何とか誰も、斬り殺されずに済んだようだ。だが、辻斬りは逃がしちまったな」

四十くらいだろうか、友造《ともぞう》と名乗った岡っ引きが、着物の裾《すそ》を一つぽんと、小気味よく払った。その姿に弓月はやっとほっとして、女と共に礼を言う。

「ありがとうございました。首が胴と分かれずに済みました」

下っぴきによると、最近この道の辺りでは辻斬りが大変多いのだという。岡っ引きはそれで、こまめに見回ってくれていたのだ。下手人は人を斬っては、町方には手が出せない、広大な寺社の敷地内へ逃げ込むことを繰り返している。

(寺や神社の境内は、寺社奉行様が管轄する領分だからねえ)

町方が勝手に踏み込んだりしたら、騒動になるだろう。辻斬りには都合の良い場所であり、それで未《いま》だ捕まえることができないでいるらしかった。

「まだ剣呑《けんのん》だから、人の多いところまで送ってゆこう」

行き先を聞かれ、女と弓月はそれぞれ答えた。

「白加巳神社へ」

揃った返答に、岡っ引きは片眉だけ器用に引き上げ、弓月たちは顔を見合わせる。それなら近いものだと言って歩き出したあと、岡っ引きは何気ない様子で確認してきた。

「あんたたち、あの神社へお参りかい？　それともなんぞ用かな」

「私は神官ですから」

神社に所用があるとの返答に、岡っ引きはさっと弓月の姿を目でなぞり、頷《うなず》く。だがなんとはなく、その目つきが先刻より鋭く感じられるのは、どういうわけなのだろうか。

「あたしは……福《ふく》と言います」

女は今日、子供と共に、白加巳神社の権宮司に呼ばれているのだという。

（へえ、彰彦さんに？　この人は……今日会うという青戸屋の人とも見えないが、誰なんだろうか）

弓月はちらりと、お福のよろけ縞《じま》の着物を見た。こざっぱりとしていて、襟の抜き方など粋《いき》な気がするが、高直《こうじき》なものとは見えない。大体札差の内儀ならば、出歩くのに女中の一人も連れているだろう。何よりもお福は大層色っぽい大年増《おおどしま》で、襟元からも着物の裾からも、女の色気がこぼれ落ちるかのようであった。とてものこと、大店《おおだな》のおかみのような落ち着きはない。

岡っ引きは他にも聞きたいことがありそうだったが、お福は先へ逃げた子供のことが気にかかる様子で、気もそぞろだ。仕方なく岡っ引きが引き下がり、四人は道を急いだ。

ほどなく大きな鳥居が目に入ってくる。長く続いていた両脇の背の高い塀が切れ、ゆるりとした坂を下りきった辺りに、白加巳神社はあった。鳥居の下に弟やらお福の子やら、心配顔が幾つも揃っているのが見える。

「弓月さん！　大丈夫でしたかっ？」

驚いたことに、信行より先に蒼《あお》い顔の佐伯彰彦が飛び出してきた。弓月の肩を摑《つか》み、揺さぶってくる。どうやら斬られて幽霊になっていないか、確かめている様子であった。その後ろで信行が言葉もなく、ほっとした表情を浮かべている。

「無事ですよ、ちゃんと足もあります。親分さんに助けていただきました」

肩越しに命の恩人に目を向けると、岡っ引きは鳥居の少しばかり手前に立ち止まって、何とも言えない妙な笑いを一同に向けてきた。

「いやあ、お客人を助けられて良かったですよ、権宮司。でもこの神社ゆかりの人が、辻斬りに襲われようとはねえ」

軽く十手で己の肩を叩《たた》きながら喋《しゃべ》る様子は、気を許しているようで、そうではない。彰彦は顔見知りらしい岡っ引きに、深々と頭を下げた。

「坂上《さかうえ》の親分さん、当神社のお客様を助けていただき、本当にありがとうございました……」

正面切って礼を尽くされ、岡っ引きは何やら鼻白んだ様子だ。それでも丁寧に言葉を返しては来る。

「ではまたお会いしましょうや、権宮司」

だが彰彦に向けた顔つきは厳しいままだ。彰彦の方は、苦笑めいたものを口元に浮かべている。

(何だろうね、この二人の態度……)

お手柄の岡っ引きと、それに感謝を向けている神職の会話が、どうしてこうも、ぎくしゃくとしたものになるのだろうか。

彰彦はそれきり黙ってしまった。きびすを返し遠ざかる岡っ引きの背中は、何も語らない。何ともすっきりとしない思いを抱えたまま、弓月は皆と白加巳神社の内へ導かれていった。


「上野のお山に並ぶ大伽藍《だいがらん》ほどじゃないが、さすがに白加巳神社の境内は広いねぇ」

皆と歩きながら、弓月は弟に思わずそう漏らしていた。

鳥居をくぐった先にはまず三つの小さな橋があり、その先、檜皮葺《ひわだぶき》の神門を入ると、石を敷き詰めた参道に出た。

(清鏡神社の倍は幅がある感じかね)

脇には、己らのところもこういう建物が欲しいと思うような庁屋《ちょうのや》がある。先には五対の灯籠《とうろう》が並び、左手に立派な楠《くすのき》と銀杏《いちょう》の木がそびえていた。秀麗な流造《ながれづくり》の正面拝殿には、太い朱塗りの柱が六本あり、手前に怖い顔の狛犬《こまいぬ》が向き合っている。その前にある手水舎《ちょうずや》の角を西に曲がった先にあったのが、集まる先の参集殿だった。

細長い建物の周りには、ぐるりと回廊があり、花形の透かし細工で飾られた明かりが、二間おきくらいに吊り下げられている。その下を通り、彰彦が弓月たちを一室に招き入れると、そこには既に何人もの先客が待っていた。

「こちらが今回の夢告をお頼みになった、青戸屋幸右衛門さんです」

一番に紹介された男は、二間を開け放った二十畳ほどの部屋の中で、名を聞く前から一際目立っていた。

蔵前本多《くらまえほんだ》に髷《まげ》を結い、小袖《こそで》は表こそ地味な色合いだが、ちらりと見える裏地には、思い切り凝った絵が描かれているようだ。脇差しを差したその姿は何とも粋で、とても四十に手が届く歳とも見えなかった。大身代を背負った商人というより、見場《みば》の良い役者のようだ。その上に、己の財と力をよく承知している者の風格が滲《にじ》んでいる。

隣に座っている内儀の方も、裕福だと、着物や簪《かんざし》が口をききそうなりだ。弓月が挨拶《あいさつ》をすると、お栄《えい》と名乗った。

その青戸屋夫婦から少し間を空けて、障子の前に三組の親子連れらしき者たちが並んで座っていた。一組は今来たばかり、先に一緒に逃げたお福親子だ。あとの二組は父親が息子を連れている。

彰彦がその者たちを弓月らに紹介した。

「こちらは……青戸屋さんの行方不明の息子さん、新太郎さんたちと、その育ての親御さんたちです」

「はあ？　新太郎さんたち、とは？」

新太郎は既に見つかっていたのだろうか。思わず間の抜けた声を出してしまったが、今度ばかりは隣にいる信行から、兄を叱る小言は飛んでこなかった。弟もわけが分からないでいるからだろう。

「新太郎さんは、三つ子だったのですか？」

もしそうだとしても、三人に同じ名が付いているわけがない。彰彦はその問いに軽く笑うと、今どういう状況になっているか、説明を始めた。

「安政《あんせい》の大地震のおり、行方知れずになられました本当の新太郎さんは、お一方《ひとかた》ですよ。当時五つでした。随分捜したのに、どうしても見つからなかった。なのに青戸屋さんが、これを最後と、もう一度新太郎さんを捜したら、今度は三人も候補が現れたのです」

この説明で、弓月は己が何を求められているのかを了解した。この世のどこかから、新太郎を捜し出して欲しいのではない。この三人のうち誰が本物の息子か、見分けろと言われているのだ。

そして誰が新太郎かを名指ししたら、青戸屋が納得できるだけの理由を聞かれるだろう。

（これは……とんだことになったよ）

期待と不安の目が、幾つも己を見つめてきている。どう考えても、占ってはみたが分からなかったでは、済みそうもなかった。

5

「ああ、これから一体どうなるんでしょうね」

参集殿の部屋で弓月たち兄弟は、夢告《ゆめつげ》に使う鏡や御幣《ごへい》の用意を始めていた。隣で信行がこっそりとため息をついている。

「まったくだねえ」

弓月は、その心配に心から同意した。ところがその小声を聞いた途端、信行がきっと鋭い視線を向けてくる。一瞬また怒鳴られるかと思ったが、青戸屋や彰彦と一つ部屋の中に居るのでは、思うに任せないのだろう、弟は怖い顔で黙っている。

(そりゃ、心配なのは同じだけど……こうなったらありのままの夢告を見せて、納得してもらうしかないじゃないか)

たとえ……全てが的外れに終わったとしてもだ。

「今日はこれから、弓月禰宜《ねぎ》に夢告をしていただきます。事をはっきりさせるために、皆さんには占いの前に、お子を拾った当時のことを説明していただきます」

あとは、湯立《ゆだて》に使う湯を入れた大釜《おおがま》を待つだけとなったとき、彰彦が〝新太郎〟を連れた親たちに、そう言って視線を送った。

正直なところ、事情を知る、知らないで、夢告の内容が変わるとも思えなかった。しかし失った子を、やっと取り戻せるかもしれない機会なのだ。青戸屋は、小さなことでも後悔を残したくないに違いない。だから納得できるようにしてもらおうと、弓月は鹿爪《しかつめ》らしい態度で、黙って拝聴することにした。

「こちらにおいでの親御さん方は、皆、安政の大地震のあと、親とはぐれて泣いていた息子さんを拾ったのだとおっしゃっています。新太郎さんは今、十三になっているはずです」

第一に紹介されたのはお福親子で、子供の今の名は、正五郎《しょうごろう》。お福は長唄《ながうた》の師匠をしているのだと言った。

（遊芸の師匠か。どうりで垢抜《あかぬ》けた感じのお人だよ）

お福は三十路《みそじ》を超えてはいるらしいが、目尻《めじり》が少しばかり下がりぎみで、何とも色っぽい。己の子こそが、新太郎に違いないという。火事の焼け跡で拾ったとき名を聞いたら、確かに「しん」と答えたというのだ。

「しんの付く名なら新之介とか真吉とか、色々なものが浮かぶけど、それだけじゃあ本当のところは分からないでしょう。ならいっそと、別の名を付けたんですよ」

正五郎は歳の割には背が高く、すらりとしていた。棒縞《ぼうじま》の着物の上には、なかなか整った顔立ちが乗っているが、青戸屋に似ているかと考えると、迷うところだ。

二組目は武士の親子だった。

「加納竹之助《かのうたけのすけ》と申す。今は浪々の身でね。息子の名は、伊之助《いのすけ》だ」

子供は武家育ちらしく、落ち着いて座っている。竹之助は四十に手が届こうかという年齢だろうか、論語《ろんご》でも語りだしそうな雰囲気がある。飄々とした感じはあるものの、着ている物はかなりなところ、くたびれていた。

子がなかった加納夫婦は、あの大地震のあとたまたま見かけた迷子を、我が子として引き取ったのだという。

「あの当時、もっと熱心に親御を捜していたら、青戸屋さんを見つけられたかもしれませぬ。しかし亡くなった妻が、初めて得た子供に夢中になってね」

それで今日まで来てしまったのだが、子供の生い立ちについては、気に掛かっていたことがあるのだという。

「小さかった伊之助の着ていた着物だが、新しく、驚くほど品が良かった」

幼い子供は筍《たけのこ》のように大きくなるものだから、着る物に大枚をかけても、ほどなく着られなくなってしまう。そんなものに、惜しまずに金を出せるのは誰か？

「うちの伊之助が、青戸屋さんの息子さんだと思うのだ。妻が生きていれば……今でも黙っていたかもしれない。しかし、あれに先立たれ、考えが変わった。伊之助は実の親と、巡り合うべきなのだ」

育ての親の都合ばかり考えて、今まで過ごしてきてしまった。誠に申し訳ないと、竹之助は一同に頭を下げる。

「まるでもう、己の息子が新太郎だと、決まったかのような挨拶だね」

そこに不満げな口を挟んできたのは、最後に残っていた吉也《きちや》という者だ。息子の名は清《せい》吉《きち》という。三人のうちで一番幼く見え、十三と言われなければ、十を一つ二つ超えたくらいにしか見えなかった。

吉也の声は鋭かった。

「竹之助さんだっけ、あんたの息子の伊之助は、青戸屋夫婦とはちっとも似ていないじゃないか。ごつくってさ。誰よりもあんたに似ているよ」

吉也は東本願寺近くに、小さな水茶屋《みずぢゃや》を営んでいる者だと彰彦が説明する。色男には違いなかったが、癇《かん》が強そうで、余り大人しい方ではなさそうだ。彰彦が口を開いても黙りもせず、言いたいことをさっさと吐き出してゆく。

「そこにいる二人に比べて、うちの清吉は色が白くて、そういうところは青戸屋のおかみ、お栄さんにそっくりだよ」

その上、拾ったときに清吉が着ていた着物だとて、上等なものだったとか、子供は自分のことを〝しん〟と言っていたとか、吉也も言い出したものだから、他の二組の親子は顔を見合わせた。

「ちょいと、吉也さん。あたしらが言ったことを、真似して繰り返すだけじゃあ、見せ物小屋の鸚鵡《おうむ》と同じだよ。みっともないじゃありませんか」

「そうだとも。空言《そらごと》を話すのなら、もそっと真実に聞こえるよう言うべきだな」

これに吉也が、顔を険しくして言い返す。

「先に言ったからって、そちらの言葉が真実で、あたしが嘘つきだとは限らないでしょうが。大体、今更三人も新太郎が見つかるなんぞ、信じられない話だね。金の亡者が多いってこったよ」

「お前さんこそ、そうじゃないのかい!」

交わされる言葉は段々と尖《とが》ってきて、そのうちに相手を刺し貫きそうな勢いだ。これには彰彦もため息をついた。

「私は弓月禰宜が夢告をする前に、お子さんを拾ったときのことを、詳しく教えてくださいとお願いしたんですよ。互いに剣突《けんつく》を食らわせろなどとは、言っておりません」

不機嫌な声で言われて、三人の養い親は黙り込む。しかし、休戦したわけではなさそうだ。弓月は神鏡を手に、ちらりと親たちに目を走らせた。

(無理もないか。とんでもなく大きな金が、懸かっているからねえ)

札差《ふださし》の財力は桁《けた》が外れている。随分前の話になるが、寛政《かんせい》の世にお上は、合計百万両以上の債権の棒引きを、江戸の札差たちに命じられたという。だが、潰《つぶ》れた札差はいなかったのだ。

（拾って育てた子供が、そんな札差の跡取りと分かったら、親が手にする礼金も半端な金額じゃないだろう）

それだけではない。ここまで大きくしてもらった養い親なのだから、『新太郎』はこれからの暮らしをも、気にかけてくれるはずだ。子供が青戸屋の跡取りに収まるということは、親にとって、死ぬまでの安泰を手に入れるのと同じことだった。

「それで？　皆さん他に、これといった話はありませんか？」

彰彦の再びの問いに、親たちは黙り込んでいる。なにぶん八年も前の話で、細かいことは思い出の中から、こぼれてしまっているのかもしれない。弓月は小さくため息をつくと、意を決してこう告げる。

「では……そろそろ夢告をさせていただきます。湯も来ました。いつまで延ばしていても、話は進みませんし」

これ以上長引かせても、それに見合う結果を出せる自信が、弓月の方にない。湯立をおごそかに済ませ、並べた御幣の中央に置かれた神鏡の前に座り向き合うと、弓月はいつものようにゆっくりと、祝詞《のりと》を唱え始めた。

皆の食い入るような視線が、己に集まるのが分かる。肌がぴりぴりと痛く感じるほどだった。

（行方知れずの……青戸屋幸右衛門さんの息子……今、十三になる新太郎さんは……どういう顔をしている？　今、何と名乗っている？）

ゆるりと流れる祝詞が促したかのように、神鏡が仄《ほの》かに輝き始める。部屋にいる面々が僅《わず》かにざわめいているのが、分かった。

弓月の中で、部屋の風景が消えてゆく。何かが……見えてきた。そのまま……低い声で祝詞を続けた。

（あれ……？）

思わず目を凝らした。確かにはっきりと見えてはいる。それは倒れた建物の山だった。火の手も上がっている。酷《ひど》い状況だ。おそらくこれは、安政の大地震の光景に違いない。だが……弓月はしばし、見えたものの意味を考え込んでしまった。

（どういうことだろうか）

見直してみても、眼前の風景は変わらない。今日の夢告は、とても夢とは思えないくらい明瞭《めいりよう》なもので、手を伸ばせば、割れた瓦《かわら》に触れられそうであった。

（どう解釈するか……）

結論が出せなかった。しばしそのまま、夢の中で立ちすくんでいた。夢告にかかる時間が、いつもより大層長くなっている。周りを囲んだ面々は、そんなことは知りようもないだろうが、信行や彰彦は妙な気配を察し始めているかもしれない。

（だって……何だい、これは！）

そのとき、ひやりとした薄ら寒さを感じた。息が苦しくなってくる。心の臓があおってきた。

（えっ……うわあっ）

不意に、目の前の夢が吹っ飛んだ。周りじゅうがただ真っ白になる。夢告は長く長く、続けていられるものではなく、夢の外へと放り出されてしまったらしい。二度目の経験だった。

「兄さん？」

先ほどまで居た部屋に戻ってきていた。周りに人がいるのが分かる。期待と不安を込めた親子連れの目。信行の不安そうな声。両の手を畳につき、大きく荒い息を何とか整えようとするが、なかなか収まらなかった。

何故なら……。

（変じゃないか？　私には分からないよ。何でこんな話になるんだか……）

己の心の臓が大きく打っているのが分かる。横を向くと彰彦の静かな顔が、じっと弓月を見つめていた。

「弓月さん、何か見えましたか？」

「一面、家が倒れ、あちこちから火の手が上がっている光景が見えました。あれは大地震のときの風景ではないかと思います」

確かにそうだった。それは間違いなかったのだが……弓月はそう思いついたあとで、奇妙な感覚に捕らわれたのだ。何が変なのかしばし考えて、思いついたことがあった。

「夢の中に、誰もいなかった……」

「はあ？　いない？　それはどういうことなのです？」

「人っ子一人、見あたらなかった。あれだけの惨状の中、怪我人、死人すら見なかったのです。暫《しばら》くはその意味することが、分かりませんでした」

皆が食い入るように弓月を見ている。話の先を促している。

返事をしなくてはならない。それがとんでもないものであってもだ。他にどうしようもなくなり、弓月はゆっくりと口を開いた。

「私は青戸屋さんの息子、新太郎さんを、夢の中で捜しました。だから他の人たちのことは、見なくてもよかった。それで夢告の中に人がいなかったのでしょう」

「えっ？　でも今、誰もいなかったって。新太郎さん本人は、どうしたんです？」

何人もの口から出た、この当たり前の問いに、これしかないという答えが返る。何故こんな結論になるのか、話す弓月にも分からなかった。

「新太郎さんは、夢の中にはいなかった。あの時点で、どこにもいなかったんです。つまり、参集殿のこの席にも来ていないんです。何故なら新太郎さんは、もうこの世にはいないとしか考えられないからです」

しばし誰からも、一言も、声があがらなかった。

第二章

1

「待ってください、弓月《ゆづき》さん。一寸《ちょっと》立ち止まって、話をしてくださっても……」

彰彦《あきひこ》の制止の声にもかかわらず、白加巳《しらかみ》神社の境内を行く弓月たち兄弟の足は、止まらなかった。参集殿を出て、手水舎《ちょうずや》の角を曲がったところであった。あとは真っ直ぐに歩いて鳥居の下をくぐれば、白加巳神社からは出てゆくことになる。

（もう帰った方がいい）

彰彦には済まないとは思ったが、今回の夢告《ゆめつげ》とは、どうにも相性が悪いようであった。

ここで新太郎《しんたろう》の夢告は終わらせるが上策と、弓月の内の何かが警鐘を鳴らしている。

「青戸屋《あおとや》のお栄《えい》さんは、本心、弓月さんを信用ならないと言っているわけじゃあないんです。ただ、あのお人は……どうでも息子さんに、新太郎さんに会いたくて、口が滑ったんですよ」

彰彦が隣を並んで歩きながら、先ほど弓月が投げつけられた言葉について、言い訳をしてくる。確かに夢告の結果について、皆から酷《ひど》い言われようをされた。だが、弓月は怒って部屋を出たわけではないから、この説明で歩みを止めはしなかった。

（だけど、青戸屋のおかみさんには、気の毒な結果になってしまったね）

夢告で、もう新太郎がこの世にいないと出たことは、お栄の心に深く食い込んだに違いない。

先刻、参集殿の部屋の中を行き交った、きつい言葉の数々。それは弓月の内に怒りよりも、何ともやるせないような、情けないような気持ちを起こさせていた。


「そんな馬鹿なこと、あるわけがないじゃないか。ご覧なさいな。目の前に三人も、新太郎かもしれない子供たちがいるんですよ」

夢告の結果が告げられた直後、参集殿の一室は、しんと静まりかえった。その中、真っ先に立ち上がって言い返してきたのは、青戸屋のお栄だ。麻の葉模様の入った留め袖《そで》の端を握りしめ、蒼《あお》い顔で弓月を見下ろしてくる。その肌の色が見ている間に、さあっと赤くなっていった。

「新太郎がいないなんて、そんなはずがないよ！　あたしを残して、あの子が死ぬわけがない！　ここに……新太郎がいるに違いないのよ……」

段々甲高くなるかと思えたお栄の声は、途中から弱まり震えだしてきた。幸右衛門《こうえもん》が気遣わしげにその体に手を掛け、座らせる。お栄は下を向いて息を荒くしていた。

（参ったよ……こんな風に、おかみさんを追いつめる気じゃあ、なかったんだが）

気が咎《とが》めたが、それでも弓月には、青戸屋に都合の良いよう、占いを歪《ゆが》めることはできなかった。まさか三人のうちの誰かを、新太郎に仕立てるわけにはいかないからだ。

だがとんだ内容だったご託宣への抗議の声は、それで終わりはしなかった。本物はいないと言われた三組の親子は、お栄よりも、もっとあけすけに不平不満を顔にみなぎらせ、部屋の端から弓月を睨《にら》み付けてきていた。

「あのね、はっきり言わせてもらうけど、あたしゃあ面白くないね。どうしてあんたのへぼ占いだけで、うちの子が新太郎じゃないと、決めつけられなきゃいけないんだい？」

「そうさね、おかしいよ。清吉《せいきち》が新太郎なんだからね！」

口火を切ったのはお福《ふく》で、それに口を尖《とが》らせた吉也《きちや》が続く。竹之助《たけのすけ》も黙ってはいなかった。

「青戸屋さんはもしかして、最初から我々を疑っていて、追い払うつもりかの。それで神職方と示し合わせて、こんな占いの茶番劇を見せたとか」

「皆さん、落ち着いてください」

彰彦がたしなめるが、誰も聞くものではない。更なる文句と共に、吉也にきつく尖った表情を向けられ、弓月は思わず大事の神鏡を拾って、懐にしまい込んだ。『神官様』から、『へぼな占いをするあんた』に格下げになったのだ。神鏡とて、お盆代わりにされかねない。

深刻な話を占い、都合の悪い結果が出ると、大抵の人が受け入れようとはしない。それが『夢告』が使い物にならないとの話に、尾ひれを付ける元となっていた。大概、高直《こうじき》な金魚の尾のような、ご大層な不満がくっつくことになる。

（ここまでか）

悪口雑言は腹に納め、黙って部屋を出ようと立ち上がった。すると、袴《はかま》の裾《すそ》を引いて止める者がいる。驚いて目を向けてみれば、何とお栄であった。何とか落ち着いたらしく、いつの間にやら弓月の横に来て座っていた。まだ言いたいことがある様子だ。

次はどんな話が降ってくるのかと、弓月は身構える。そのときお栄が、やおら細い指をつき、畳にすりつけんばかりに頭を下げてきた。

部屋の内に行き交っていた喋《しゃべ》り声が、ぴたりと止まる。

「申し訳ありませんが弓月禰宜《ねぎ》、もう一度……もう一度でいいから、新太郎のことを占い直してはもらえませんか。疑われているようで面白くないでしょうが、後生ですから」

すがるような声で言われ、今回は弓月の方が怯《ひる》んだ。言われた頼み事は簡単そうに聞こえるが、実はどうにも返答に困ることだったからだ。

「おかみさん……一回目の夢告のこと、信じられなかったでしょう？　また占い直しても、きっと納得できませんよ」

「先ほどは失礼なことを言いました。お腹立ちなのは分かりますが、そこを、もう一度……」

お栄の声は細いが、いつも己の意向を通し慣れているのだろう、否という言葉を受け付けない。

しかし。

「やらない方がいい。夢告は、胡散臭《うさんくさ》いと言われています。だが同じことを二度占って、別の答えが出てきたことは、今までないんですよ」

はっきりと言いきった。なのに、それでもお栄は後に引かない。

「無理だと申し上げている。また同じものが見えたら、どうするんですか？　もう一度……新太郎さんが、この世にいないと出たら？」

返事がない。その代わりにお栄は震えるほどの力を込めて、弓月の袴の裾を摑《つか》み続けている。

(我が子に会いたい、会いたい、会いたい！)

言葉を喋っているわけでもないのに、大声でそう訴えられている気がした。その強い思いに、却《かえ》って怯《おび》えにも似た気持ちを覚えて、弓月は必死にその手を振りほどいた。

このまま情に負けて、できぬことを引き受けてしまいそうな己が怖い。

「もう、終わりとさせてください」

役に立てず申し訳なかったと、取って付けたような挨拶《あいさつ》を残し、お栄に背を向けた。弓月は信行《のぶゆき》と、参集殿の一室から逃げるように出てきたのだった。


少し後から追ってきた彰彦が、まだ諦《あきら》めきれない様子を見せながら、側でため息をついている。

「ねえ弓月さん、私はこの後、一人残されるんですか？　青戸屋さんご夫婦とあの三組の親子に、何と言えば良いのでしょう」

立場の違いなど気にもせず、親切にしてくれた権宮司《ごんぐうじ》に嘆かれて、弓月の胸は申し訳なさに刺すように痛んだ。だが……白加巳神社に残っても、己にできるのは立ち往生することだけだ。

「私の夢告など、信じる必要はないのですよ。あれはまやかしだと、おっしゃればいい」

弓月は苦笑と共に、そう言った。青戸屋夫婦には財もあり、力もある。人を雇って子供らのことを、もっと詳しく調べることも可能だろう。

「当たらないと評判の占いより、地道な調べの方がよほど頼りになるものです」

「弓月さん、お願いですから夢告を、そんな風に言わないでください」

喋っている間に、鳥居の下をくぐった。境内から出たところで、最後にもう一度挨拶を
と、兄弟で彰彦に向き合った。

「どうにもお役に立てなかったようです。本当に申し訳ありませんでした」

困り果てた表情が目に入った。ゆっくりと深く頭を下げる。顔を上げると、彰彦の顔は
蒼く強《こわ》ばり、目が見開かれていた。

「弓月さん、後ろっ」

振り返るのと、何かが振り下ろされるのと、どちらが早かったか分からない。

(辻斬《つじぎ》り!)

この辺りをまだ、うろついていたのだろうか。

(斬られる。殺される!)

まざまざと蘇《よみがえ》ってきたのは、夢告で見た恐怖だ。手にべっとりと付いた血糊《ちのり》の感触も
生々しかった、あの占い。

今度は都合良く岡っ引きが現れることもなく、ぱっと赤い血しぶきが上がった。

(ひっ……)

だが斬られたと思ったのに、血を流し倒れたのは己ではなかった。

「あ、彰彦さんっ」

「だれかっ！　辻斬りだっ。親分さん、助けてっ」

突然信行が大声をあげ、わめき立てる。その騒ぎように、辻斬りの動きが一時止まった。

（あ……こいつ、前とは違う奴だ）

今度は四十に近いような歳の、大男だ。弓月は決死の覚悟で彰彦の前に被《かぶ》さって、刀から庇《かば》った。頭ががんがんと内側から叩《たた》き付けられているかのように痛い。

（私は知っていた……見ていた……この場のことを）

信行の必死の大声が続く。辻斬りはもう一度こちらを見たが、岡っ引きを呼ぶ声に不安になったのか、不意にきびすを返し立ち去ってしまった。

「た、助かった」

わめき続けたからだろう、信行は横に立ったまま大きく喘《あえ》いでいる。彰彦は左腕を斬られたらしく、弓月の腕の中で白い着物と袴をまだらに染めていた。

「と、とにかく神社の中へ。それから……医者を呼ばなくては。あの、私は……」

（分かっていたのに、何もできなかった！　おまけに斬られたのは、私じゃないなんて……）

顔を蒼くしている弓月に、怪我人から声が届く。

「済みませんが、私を支えて歩いていただけるか？　庁屋《ちようのや》の前を右に曲がると、その先に神宮寺があります。社僧の執行《しゆぎよう》様は薬に詳しく、傷の手当てもお上手だ。そこへ」

庇われたあげくに、斬られた本人から落ち着いた指示を受けているのだから、情けなくて唇が震えてくる。

だがここで己の気持ちに浸っているわけにはいかない。とにかく信行と共に胴を抱え、血まみれの彰彦を支えると、弓月たちは神宮寺へ這《は》いずるように歩んだ。

2

「辻斬りに斬られた？　権宮司が？」

怪我人を運び込んだ寺で、玄海《げんかい》執行と名乗った社僧は、酷《ひど》く驚いたような表情を浮かべた。墨染めの衣が妙に不似合いな、彰彦と同年配の大男だった。

「とにかくこちらへ運び込みなさい」

彰彦が言った言葉は嘘ではなく、玄海は小さな板間に怪我人を横にならせると、機敏に手当てを始めた。着物の袖《そで》を引き剝《は》がし、腕の元を縛って血止めをする。弓月たちに水を運ばせ、手ぬぐいで血を拭《ぬぐ》う。すると彰彦の腕に大きな傷口が露《あら》わになって、弓月は息を呑《の》んだ。だが玄海は「大丈夫だ」と、声を和らげる。

「派手に血が出ていたから、どうなるかと思ったが、深く斬られてはいない。これなら腕を切らずに済むだろう」

手慣れた感じで作り上げた薬を布に塗って傷口に当て、その上から晒《さら》しできつく腕を巻き上げていく。指の先を触り、全て動くことを確かめると、ごつい執行の顔が満足そうで、恐ろしげな笑みを浮かべた。

「それでも大怪我には違いない。顔なぞ、一回藍瓶《あいがめ》の中に突っ込んだような色をしているしな。権宮司、出血が止まって顔色が人らしく戻るまで、暫《しばら》くここで休んでいくといい」

「おや、いつになくお優しいですな、執行様」

横になったまま彰彦がそう返すと、玄海執行はにたりと笑い、薬を煎《せん》じてくると言って、部屋から出て行った。

(ああ、助かったんだ!)

弓月は心底ほっとしながら怪我人の横に、にじり寄る。

(それにしても、今のお二人の会話、何だか……)

親しいというより、いささか微妙な調子のやり取りだった。

(社僧か……神社内神宮寺に住んでいて、僧ではあるけど妻帯が認められている者だね)

弓月たちが守っている小さな清鏡《せいきよう》神社では、縁がない存在だ。執行には妻がいると分かっているせいか、何やら総身から精力が滲《にじ》み出している感じがして、僧らしく思えなかった。だが社僧は社僧。立場からして同じ境内にいる神社の神官と、親しくないはずはないのだが……。

弓月が小さく首を傾げていると、信行が参集殿に顔を出してくると言って、部屋を出た。自分たち兄弟はともかく彰彦が帰ってこないのでは、青戸屋らがいぶかしむだろうからだ。

「本当によく気がつく弟さんだ」

助かりますと、彰彦が礼を口にする。

「まったく……この兄と違って、弟は使える奴でしてね」

「また、そんな風におっしゃる。人の良いところは、それぞれですよ」

いつも彰彦の言いようは優しいが、今回の有様は、己でも情けないと思う。

ため息をつきながら、寺の下男が運んでくれた夜着を彰彦に掛け、頭を括《くく》り枕に乗せた。むしり取った袖を取り上げ部屋を片づけていると、まず執行と共に、小鍋《こなべ》に入った煎じ薬が現れた。それを怪我人に飲ませている間に信行が帰ってくる。

ところがその顔つきが、少々硬かった。

「どうしたんだい？」

「彰彦さんのことは、皆さん驚きはしましたが、とにかく命に関わるものでないと聞いて、ほっとしています。ただね、兄さんが彰彦さんに付き添って、神宮寺に留《とど》まっていると聞いて、また青戸屋のおかみさんが夢告《ゆめつげ》のことを言いだして」

すぐに帰らないのなら、もう一度占う時間があるはずだと言い立てているらしい。

「ほう、では今神社の方で、例のお大尽のご機嫌取りをやっているわけですな」

横で聞いていた執行が腕組みをしながら、皮肉っぽい笑みを浮かべている。弓月の方は頭を抱えてしまった。

命を助けてもらった彰彦を放り出して、白加巳神社から帰ることはできない。しかし弓月がこの場にいるのに、二度目を行うのは気が進まないと言っても、青戸屋のおかみは納得しないだろう。神宮寺で休んでいる病人の側まで、押しかけて来かねない。

弓月は彰彦の方を向いて、情けなさそうな声を出した。

「仕方ありません……私はもう一度、夢告をするしかないようだ」

辻斬りも、まさか己が占いの手助けをすることになるとは、思いもしなかったろう。弓月は手ぬぐいを入れていた桶《おけ》に向かって、いささか疲れたような息を吐き出した。

二度目の占いは夜を迎え、参集殿の回廊に美しい透かし模様の明かりが灯《とも》ってから、同じ部屋で行われた。彰彦が是非とも夢告に同席したいと言ったのだが、なかなか起きあがることができなかった。それで遅くなったのだ。

今彰彦は体に無理が来ないよう、一人障子の横の柱に背をもたせかけ座っている。もう顔色は大分良くなってきているようには見えるが、腕を吊った晒しが、行灯《あんどん》の明かりに白く浮き上がっていて痛々しい。

再度占うという話に、初め養い親たちは、もう沢山だという顔を浮かべた。だがお桀からの強い視線を受けると、皆下を向いてしまう。神社内ではあったが、場を仕切っているのは、金と力のある青戸屋の意向に違いなかった。

弓月の方は、すぐに部屋の一面に御幣《ごへい》を立て、夢告の準備を始めた。隣で手伝ってくれている信行が、今回も心配げに自分の方に目を向けていることは、見なくても分かっていた。

(いつも信行には、気をもませてばかりいるね)

今度の夢告がより一層不安なのは弓月も同じだが、もう止めるわけにもいかない。腹を括ると神鏡を正面に据え、一旦《いったん》皆の方を向いた。行灯の仄《ほの》かな明かりの中で見ると、誰もが昼間とは別の人のように見えてくる。

「とにかくもう一回、新太郎さんのことを占ってみます。ただ夢告は気の張るもので、そうそう続けてはできません。二度目でも得心できぬ場合は、別のやり方をお考えください」

弓月がそう言うと部屋の内に並ぶ顔に、様々な心の内が掠《かす》めるのが見て取れた。喜んだ者、うんざりと口をへの字にした者。ため息も聞こえる。中に、弓月には捉《とら》えきれない、何やら複雑な気持ちがあった気もした。だがそれは誰のものだかはっきりとせぬまま、仄かな明かりの中に消えた。

「では！　始めます」

今日二度目の祝詞《のりと》を口にする。大枚の懸かった話は夢と殺気をはらんで、なかなか終局に行きついてくれないのであった。


（これは……どういうことなんだろうか。分からない。分からない……よ）

皆の前で再び神鏡の淡い輝きに包まれて、しばし。弓月は上も下もない〝どこか〟にいて、混乱し、息を乱していた。

（妙だ。今回の夢告は……今までのものと違う。何がどうしたっていうんだい？）

眼前に、安政の大地震で崩れ燃える、蔵前《くらまえ》の町並みが見えている。先に見たのとほとんど変わらない眺めだった。正直なところ、二度続けてくっきりとした何かを見るのは、極めて珍しかった。祝詞を口にし、どう恰好《かっこう》をつけたところで、そう都合良くは見えてくれないものなのだ。

ところが今回は、はっきりしている。それだけでなく、奇妙でもあった。前と同じことを占ったのに、明らかに眼前の光景が違う！　驚きだとしか、言いようがなかった。

もっとよく知ろうと、弓月は目を凝らした。だがその辺りから、目の前の風景は段々歪《ゆが》みだしてきてしまう。家や瓦《かわら》や柱の輪郭がぼやけ、二重、三重に見え始める。それは頭痛を呼び、すぐに酷《ひど》く辛《つら》くなった。こうなると夢を見続けることは難しい。いい加減に帰った方が良いという合図なのだ。

(帰る?)

そう考えた途端、ぞくりとする感覚に捕らわれた。驚いたことに、弓月は神社に戻ることが……怖かったのだ!

(馬鹿な。何故そんな)

途方に暮れた。己がそんな風に思ったりする意味すら分からない。大体、このまま夢告の中に居続けることなぞ、したくともできはしない。神社へ戻って……そして、弓月と弟は……。

(どうなるっていうんだい?)

その先を、己はとうに知っている気がした。何故なら先の夢告の内で、既にその恐怖の結果を見ているからだ。

(私は……血まみれになっていなかったか?)

体の芯《しん》から震えてきた。このところ夢告を行うと、主題から逸《そ》れて、ひたすら恐ろしい気持ちに包まれてしまう。

本当は新太郎のことを占うべきときなのだ。今は子供捜しに集中すべきだった。にもかかわらず、己はそれどころではなく、怯《おび》えを感じて息を詰まらせている。膝《ひざ》が笑っている。

(あ……あ、怖い怖い怖い……!)

それ以外考えられなくなって、身を丸めた。目を瞑《つぶ》り頭を抱える。

そのとき!

いきなり鋭い痛みが体に走り、弓月は畳の上にひっくり返った。

「くうっ……痛っ」

「良かった、戻って来ましたね」

横を向けば、例によって信行と彰彦が側にいた。右頰が疼《うず》くところをみると、今回弟は、なかなか現世に戻ってこない兄を、思い切りひっぱたいたようであった。

「いや、さすがに弟さんは、対処に慣れておいでのようだ」

彰彦が晒《さら》しで吊った腕を抱えつつ、安堵《あんど》の表情を浮かべている。帰って来て、己が部屋の内にいるのが分かった途端、先ほどまで感じていたわけの分からぬ恐怖が、嘘のように散って行った。

(……助かった)

一瞬、ほっとした。だが周りを見た途端、そんな気持ちは萎《な》えてしまう。一つ片づいても、弓月の不安の元はまだ控えていた。夢告の結果を皆が待っている。

(そうだ、言わなくちゃならないことがある……だけど)

「どうしたんです、弓月さん?」

彰彦の声が、話を引き出した。

「新太郎さんの行方を問うてみました。初めに前と同じ光景を見ました。地震の後の、焼け野原。倒壊した家々。その中に今度は……」

一呼吸、言葉が途切れた。

「……落ちてゆく影を見ました」

行灯だけだから、部屋はほの暗い。静まったまま、その言葉の意味をすぐに聞き返す者もいなかった。

「火の中を遠ざかってゆく小さな後ろ姿も見ました。あの姿も、どこかへ落ちて行ったのも、……新太郎さんだと思います」

前とは違う結論に、信行が驚いた表情を浮かべている。もちろん、誰よりもこの結果を奇異に感じているのは弓月自身だ。

(こんなこと、初めてだよ)

しかし一回目と違って、三組の親子からは嬉《うれ》しそうな声があがった。吉也の笑い顔は影を背負って、狐の使いのように見える。

「ほら、ちゃんと見てくれれば、新太郎はいるって話になるのさね」

弓月は黙って話を聞いている青戸屋幸右衛門に向き合い、頭を深く下げた。情けないこと、この上なかった。

「初回はどうも、確かでない話をしてしまったようで、済みません。新太郎さんは生きておいでのようだ……ですが」

言葉が詰まる。

「影が見えたきり、顔まではとんと分かりませんでした。私にできるのは、ここまでのようです」

何一つはっきりとせず、これでは占いなどしてもしなくても、大して変わりがない。弓月が申し訳なさに小さくなっていたとき、隣から声が掛かった。

「兄さん、新太郎さんは、どこかに落ちて行ったと、言いましたよね？」

「そうなんだ」

「先に清鏡神社で新太郎さんを占ったときにも、同じようなことを言ってませんでしたか？　あのときはてっきり、見えたというのはお婆《ばば》の櫛《くし》で、それが涸《か》れ井戸に落ちたのだと思いましたが……。でも考えてみれば、兄さんがそう言ったわけではなかったな」

二人の話に彰彦が頷《うなず》き、それを皆が身を乗り出すようにして聞いている。

そのとき。今まで親の吉也の後ろに控えていた息子の清吉が、「あの、いいでしょうか」と、小さな声を出してきた。何やら興奮しているのか、頬が僅《わず》かに赤い。

「つまり……新太郎さんは小さいころ、どこかに落ちたことがある。そうなんですか？」

「そう見えました」

「あたしは火事の後、今のおとっつぁんに助けられたのですが、涸れた井戸の底から拾われたのだと聞いたことがあります。確かそうだったよね、おとっつぁん？」

「ああ、そうだ」

吉也が思いだしたと言うように、ひょいと肩をすくめた。皆の視線が清吉の上に集まってゆく。思わぬ成り行きに神鏡の前に座ったまま、弓月はすぐには声が出せなかった。

3

「清吉さん……それじゃあ捜していたのは、お前さんなのかい。あたしは新太郎を見つけられたんだね……」

お栄が立ち上がっていた。体が震え、目が潤んでいる。

(何と……新太郎さんが見つかったのか？)

お栄が清吉に駆け寄ろうとする。直前、ぴしりとした一つの声が、それを制した。

「一寸《ちよつと》待ってください。私にも聞いていただきたいことが」

竹之助の息子、伊之助《いのすけ》だった。武家の子として育ったせいか、顔つきまで精悍《せいかん》だ。

「私は水が嫌いで泳げません。幼いころに、狭い場所でおぼれかけた覚えがあるんです」

多分井戸に落ちたのだという。つまり伊之助も清吉と同じように、〝井戸〟と、〝落ちた〃に関係があるというのだ。

「それに、こう言っちゃあなんですが、清吉さんの話には無理がある。青戸屋さんのある繁華な蔵前の辺りに、埋められもせずに放っておかれていた涸れ井戸なんぞ、あったでしょうかね」

「いいところに気がついたな、伊之助」

疑いを向けてきた竹之助親子に、吉也が言葉で嚙《か》みついた。行灯《あんどん》の光が顔半分に影を作り、何とも恐ろしげだ。

「あの大地震のおりだもの、急に涸れたんだろうよ。そっちこそ、単に水練ができないだけじゃないのかい」

「お二方とも、〃落ちる〃と〃井戸〃を、どうでも絡めて考えたい様子だけれどね」

話に割って入ってきたのは、それまで黙っていたお福だ。

「落ちていったからって、井戸だとは限らない。二階や木の上、橋の上からだって、落ちることはできるんだよ」

現に正五郎《しょうごろう》は焼け跡で一人、泣いていたのであって、井戸とは関係ないと言う。

「それならあんたの子は、新太郎ではないのだろうよ」

「何を言うんだい！」

言い合いを、信行がうんざりとした目で見ている。

「あの……清吉さんは、新太郎じゃないのかい？」

お栄が残念そうに、また座る。それに幸右衛門が苦笑ぎみに答えている。

「まだ分からないだけだ。もう少し待ちなさい」

信行は、声を荒らげている三人の親たちには構わず、弓月との話をさっさと続けた。

「ねえ兄さん、清鏡神社での占いで、ちゃんと新太郎さんのことが見えていたとすると、あのとき見えた櫛は、一体何だったのでしょうね」

「さてね。お婆のものではなかったのかもしれないが。彰彦さん、櫛と言われて心当たりはおありですか？」

彰彦は首を振って、視線を幸右衛門に向けた。青戸屋も思いつくことはないらしい。だがお栄はこめかみに手を当てて、考え込んでいた。

「櫛……そういえば……」

「お栄？　何か思いだすことでもあるのかい」

「新太郎は小さいころ、とりどりの絵が描いてある櫛や簪《かんざし》が好きでね。あたしの居間に来ては、よくおもちゃ代わりに手に取って、ばあやに叱られていた。あの子は朱の色が好きだったよ」

「あれまあ、私はそれを見ていたんだろうか」

するとその言葉を聞いて、今度は正五郎が声をあげた。お福の子だ。

る。

「櫛とは驚いた。実はその……私は小さいころから、こんな物を持っているのですが」

おずおずと懐の巾着《きんちゃく》から出したのは、朱赤の小ぶりな櫛だった。蒔絵《まきえ》で梅が描かれている。

「これに、見覚えはありませんか？」

お栄がその櫛を手に取る。気がつけばまた、静かになっていた。

（さっきまで、どうにもならないと思っていた話が、いつの間にやら進み出している）

もしお栄がその櫛を覚えていると言えば、今この場で、正五郎が新太郎だという話になるかもしれない。先日の大外れと思った夢告《ゆめつげ》が、こう化けるとは思いもしなかった。

（正五郎こそが青戸屋の息子さんなのか）

部屋の内が次の一言を待って、張りつめた気に包まれる。そこに。

「あの……」

お栄が顔を上げた。その口から、当惑ぎみな声が漏れる。

「ごめんなさい。家には沢山の櫛や簪があるものだから。この梅の描かれた櫛を確かに持っていたか、あの子が気に入っていたか、思いだせないのよ」

それでもお栄は未練げに、その櫛を手放せずにいる。張りつめていた部屋の内が、僅かにゆるんだ。すると今度は他から、別の話が出てきた。

「あのぉ、今からこんなことを言うと、取って付けたようで嫌なんですが」

そう言いだしたのは伊之助で、竹之助の陰から遠慮がちにお栄を見ている。

「私はこういうものを持ってます。ただし、この通り焼けこげてしまっていて、元が何なのかもはっきりしませんが」

首にぶら下げた守り袋から取り出したのは、小さな一片だ。櫛かどうかも分からない。焼けこげた欠片《かけら》には、かろうじて赤っぽかったと分かる色が残っていた。

そこに清吉が己もと口を出してくる。

「そんな欠片でいいのなら、あたしだって持ってますよ。家に帰れば、引き出しにちゃんと仕舞ってある」

「家に置いてあるという物なんか、本物だかどうだか。一旦帰宅すれば、櫛を買うなり竈《かまど》でこがすなり、好きに作れるからね」

「何だって！」

清吉と正五郎が睨《にら》みあう。そこに伊之助のきつい言葉が重なった。

「それにしても正五郎さんの櫛は、大層綺麗《きれい》ですよね。火事のときに持っていた、古い物だという割には」

「……偽物だっていうのかい」

子供三人も親たちに倣ってか、険のある顔で睨みあっている。この様子に、青戸屋が静かに首を振った。

「やれ、櫛も当てにはならないようだよ」

いささか言葉が疲れた調子なのは、同じような言い争いが続いているからだろう。

そこにお福が、幸右衛門の前に身を乗り出すようにして、ぐっと優しげな調子で話し始めた。相手が良い男ぶりであるせいか、向ける眼差《まなざ》しが艶《つや》っぽい。

「ねえ青戸屋さん、せっかく櫛という手がかりが出てきたんですから、簡単にうっちゃったりしないで、もっとようく見てくださいな」

「そうだな。少なくともこの櫛の一件は無駄ではなかった。すぐに櫛を出せない清吉さんは、新太郎さんじゃないに違いない」

竹之助の言葉に、今度こそ吉也は黙っていなかった。

「己に都合のいい話を、こしらえるんじゃないよっ」

相手が武家だろうが構いもせず、飛びかかって胸倉に摑《つか》みかかる。水茶屋を商っている吉也の方が、浪人の竹之助よりも、数段喧嘩《けんか》慣れしている様子だ。

「お二人とも、よしてください」

目の前の摑み合いに、思わず弓月が声をあげるが、止まるものではない。弓月はやおら、神鏡の横に立ててあった御幣《ごへい》を一本手に取ると、それをいがみ合う二人の真ん中に差し入れた。

さすがに神の御前を飾るものを、引き裂くことはできなかったのだろう、二人の動きが止まる。吉也が竹之助の着物から、すっと手を放した。首《こうべ》を巡《めぐ》らして弓月をゆっくりと眺めてから、小さく笑う。

「ねえ神官様。先ほど、そうそう続けては占いができないと、おっしゃいましたね。でも明日ならどうです？」

「明日？　また同じことを夢告するんですか？」

「あたしはこれから家に帰って、櫛を取ってこようと思うんでさ。木戸も閉まるし、今からじゃあ今晩中に戻ってくるのはきついが、明日早くには帰って来ます。そうしたら三つ並べて、どれが本物の新太郎の物なのか、占っておくれでないか」

自信ありげな吉也の様子に、お福と竹之助が渋い顔で見交わしている。そこに、青戸屋幸右衛門が口を開いた。

「それで？　明日弓月禰宜《ねぎ》が夢告をしてくださったとして、お三方とお栄は、どう言われても今度は納得するのかい？」

一旦は、ここには新太郎がいないと告げられたのに、それを受け入れた者はいなかったのだ。すぐには返事をする者もいない。幸右衛門の顔が、隣にいる妻の方を向いた。まるで哀願しているかの口調で静かに語りかける。

「ねえお前。やはり最初の占いが、真実なんじゃないか。新太郎は五つの歳に、神様がお側にお呼びになったんだ。もう八年も前のことだ。そう思い切ることはできないかい？」

「あなたは……あの子に戻ってきて欲しくはないの？　また一緒に暮らしたくはないの？　新太郎の父親なのに」

お栄の顔が、みるみる厳しくなっていく。幸右衛門の話など、まったく考えの外のようであった。

「だがお栄。今までだとて捜してきたのに、ずっと見つからなかったんだよ。それが店をやめると言って、これが最後という話になったら、急に三人も見つかるなんて変じゃあないか」

「店のことは、あなたが勝手に算段した話でしょう。新太郎のこととは関係ありませんよ！」

二人の話は、声こそ大して大きくはならなかったが、段々険を含んできつくなってゆく。大金持ちの青戸屋夫婦は、見かけほど満ち足りてはいないようだった。

「とにかく今度の話だけは、途中でうやむやにはしませんからね。あたしは……絶対に嫌です」

お栄は傍《はた》で聞いている者が驚くほど、きっぱりと言い放つ。幸右衛門はすっと眉根《まゆね》を寄せると、そのまま黙り込むことで引き下がった。

（何と青戸屋さんは……あれだけの身代の店を、閉じようっていうのかね）

弓月は夫婦の喧嘩よりも、そのことに驚いて、目を丸くした。札差《ふださし》になぞ、なりたくともなれるものではない。青戸屋ほどの店の主人ともなれば、およそ人のする贅沢《ぜいたく》なら、何でもできる立場に違いない。雨漏りの心配なぞ、したこともないだろう。

(それをあっさり、放り出そうっていうのかい? 跡取りが行方不明で、もう見つからないと諦《あきら》めたから? それにしちゃあ幸右衛門さんは、新太郎さんにはこだわっておられない様子だが)

どう考えても親類を巻き込んでの大騒動になることが、目に見えている話だ。弓月が青戸屋夫婦から目を離せずにいると、いつの間に立ち上がったのか、吉也が弓月の後ろにいて、肩をぽんと叩《たた》いてきた。

「それじゃ、あたしは一旦櫛を取りに帰ります。清吉、待っていろよ。神官様、明日占いをよろしく」

そう言うと、一人出て行ってしまう。

「えっ? ちょっと、吉也さんっ」

彰彦が呼びかけたが、止まるものではない。その姿はすぐに回廊の先に消えてゆく。呼び戻してくると言い、彰彦が部屋を出たが、斬られた体はまだ歩くのも難儀な様子で、吉也を捕まえられるとも思えなかった。

「あれ、まあ……」

新太郎捜しの話は、いつの間にやら勝手に転がり始め、どんどん先に進んで行く。承知したとも言っていないのに、弓月はどうやら三度目の占いをすることに、なってしまっていた。

4

開けられた窓の外、ころりと太った月が、雲をいくらか背負いながら空にかかっている。吉也が勝手に予定を決めて帰ってしまうと、緊張していた場の雰囲気から、力が抜け落ちてしまった感があった。

そうなると皆、もう刻限が遅いことに急に気がついた様子だった。とっぷりと暮れている空を見ながら、さて、これからどうしようという話になったところへ、彰彦がゆっくりと部屋に入ってきた。

「やれ、追いつけぬうちに、吉也さんは帰ってしまいました。半端な幕切れとなりましたが、とりあえず今日はここまでということで。皆さん、お疲れになったでしょう。隣の間に夕餉《ゆうげ》の膳《ぜん》が用意できておりますよ」

どうやら二度目の夢告《ゆめつげ》が遅くなった時点で、神社の方で心づもりをしていた様子だ。残った者たちの顔がぱっと明るくなる。いそいそと皆で席を移っている間に、彰彦は更に細やかな気遣いを見せた。

「それから、明日のことですが。早くに吉也さんが戻ってくるとなれば、それまでに皆さんにも、白加巳神社に来ていただかなくてはなりません」

これから帰って、また来るのは大変だ。今宵《こよい》は皆、神社内に泊まったらどうかと切り出してきた。

「そりゃあ、助かります。うちは結構遠いから、今からこの子を連れて帰ったんじゃ、大《おお》事《ごと》だと思っていたところなんですよ」

お福をはじめ、青戸屋夫婦もほっとした顔で礼を述べた。今日はこの近辺で二度も辻斬《つじぎ》りが出ている。誰もが夜歩く気にはなれないのだろう。

隣室に並んでいた食事は、急ごしらえであるだろうに、なかなかにたっぷりとして見目も良かった。向かいに座った正五郎が、嬉《うれ》しそうな表情を浮かべた。

「凄《すご》いや。おいらの家じゃ夕餉は、茶漬けに香の物だけ。煮豆の残りでもあれば上等だもの」

普通の家では、夕飯といえばそんなところだ。今日のこの振る舞いは、お大尽の青戸屋が同席しているからに違いなかった。普段は質素を旨として、簡単な夕餉で過ごしている弓月たち兄弟も、思わず一汁三菜ある膳に、目を吸い寄せられる。

「おお、里芋や葱《ねぎ》のみそ汁に大根漬け、酢和《すあえ》、鯵《あじ》の煮付けですか」

それに大盛りの飯が付いている。青戸屋だけは落ち着いたものだが、同席の大人たちですら、何とはなしに嬉しそうだ。この温かい夕餉を前にして、やっと一同の間で和やかな会話が交わされるようになった。

「いただきます」

胡瓜《きゆうり》と大根の和え物を口に運ぶと、上物の酢が使ってあるのか、大層旨《うま》い。弓月は有り難く食べながら、隣に座った青戸屋夫婦をときどき見て、首を傾げていた。

(さっきの言い合いを見た限りでは、仲が悪いのかとも思ったが)

跡取りの問題では、明らかに対立している。だが今は幸右衛門がお栄の魚の骨を取ってやったり、何やら話をしては二人で笑ったりで、とてもそりが合わないとは見えない。疑問を抱えたまま、ぶしつけなほど見てしまったせいだろう、幸右衛門が弓月に突然声を掛けてきた。

「弓月禰宜、私にお話でもあるのでしょうか?」

いきなりの指名に、頭の中が白くなる。妻もいない若輩者が、夫婦仲について口を挟むことなぞできはせず、弓月は咄嗟《とっさ》に別の疑問を口にした。

「あの……札差の青戸屋さんなら、こういう食事にも、贅沢にも慣れておいででしょう。それなのに何故、金を生む元の商売を止めてしまうなどと、言われるのですか?」

「おや、さっきお栄に言ったことを、覚えていらしたんですね」

幸右衛門がふっと笑う。吉也のそれと違って、柔らかく整った顔立ちなのに、怖いような迫力があった。

（うわあ、聞くんじゃなかったよ）

だが出てしまった言葉は戻らない。

幸右衛門が答えるまでに、ほんの僅《わず》かな沈黙があった。その間が『他人が首を突っ込むことじゃない』という言外の言葉になっているようで、飯が喉《のど》につっかえそうだ。

「いや、跡取りもないことですしね。それに店をたたんだとて、夫婦だけなら墓に入るまで、それなりの暮らしはできますよ」

やっと返ってきた言葉は平凡で、これしかないという答えだった。だが考えてみればおかしな話だ。ちょうど今、その大事な跡取り、新太郎を捜しているところだというのに、先に店じまいを心づもりして、どうするというのだろう。微《かす》かに小首を傾げたが、それ以上突っ込みはしなかった。

（理由はどうであれ、店を止めるのは幸右衛門さんの勝手なのだし）

弓月は膳に目を注ぐと、せっせと魚を骨だけにしていった。

評判の良かった夕餉が終わると、明日も早そうだからと、早々に寝ることになった。二組の親子と清吉、青戸屋夫婦は、参集殿の一部、西殿と呼ばれるところに泊まった。だが急なこととて夜具も数が揃わず、弓月たちは彰彦の家に世話になることになった。

佐伯《さえき》家の私宅は、白加巳神社の裏参道近くにあるという。弓月たち兄弟は彰彦に伴われ、参集殿から北に出て、三つの末社の前を本殿周りの瑞垣《みずがき》沿いに歩き、裏参道を目指していた。

瑞垣の角にある西宝庫のところに御神灯がかかっていて、淡く夜の社殿を映し出している。雲の切れ間から落ちる月光は、夜の中に更に濃い影を作っていた。神社は深夜でも閉じられはしないが、暮れたあとはさすがに人影は見かけない。手入れの行き届いた木々が、微かに揺れているのみだった。

弓月たちは怪我をしている彰彦の体を気遣って、ゆっくりと歩を進めていた。

「月の下でも、白加巳神社の庭は美しいですね」

弓月がにこりと笑って褒める。そしていかにもついでのような調子で、彰彦に疑問を投げかけた。

「彰彦さん、明日は占いが済んだら、早々に帰ることになるかもしれません。その前に一寸《ちょっと》伺いたいことがあるんですが、今、いいですか？」

「はい、何でしょう」

並んで歩いていた信行が何事かと顔を向けてくる。弓月が尋ねたのは、ほんの小さな謎だった。ただ、一日経っても解けなかったものだ。

「昼間坂上《さかうえ》の親分さんに助けていただいたとき、私はこちらの神社を訪ねてきた神官だと名乗りました。途端に親分は、助けたことを少しばかり後悔している様子に見えたんです。何故ですかね」

「おやまあ。それはそれは」

彰彦の目がゆっくりと弓月を捉《とら》え、僅かに細められた気がする。すぐに夜の中から、苦笑が返ってきた。

「親分さんにも困ったものです。あのお人は悪い方ではないのですが、思い込みが激しくてね」

日に二度も襲われたことでも分かる通り、この辺りはここ一年で本当に、辻斬りが多くなってきたらしい。寺社地が多い土地柄であった。境内は寺社奉行の管轄地で、中までは町方の岡っ引きが追えぬことが、間違いなく原因の一つだ。

「以前辻斬りがあったとき、下手人がこの白加巳神社へ逃げ込んだのです。親分さんは、捕らえられぬ場所と承知で、追いかけてこられた。そのとき、私と出くわしましてね」

驚いた彰彦が次第を尋ねているうちに、辻斬りは逃げてしまったのだという。

「ははあ……」

「それ以来、親分さんが私を見る目つきは、どうにもきついんですよ」

「八つ当たりされたのでは、彰彦さんも大変ですね」

信行の言葉に、彰彦がまた小さく笑っている。

（それで親分さんと彰彦さんの会話が、妙にぎこちなかったわけか）

何とはなしに納得いったような、いかないような感じだった。それしきのことで、人に剣突《けんつく》を食らわすような親分には見えなかったが、弓月よりも彰彦の方が遥《はる》かにつきあいは長く、よく分かっているはずだ。そっと彰彦の吊った腕を見た。

（嫌みを言われるわ、斬られるわでは、かなわないよねえ）

まったく物騒な世の中になったものだ。

（万事がこんな風だから、やたらと怖い夢告《ゆめつげ》を見るのだろうか）

本殿東側の瑞垣がきれた先に小さな鳥居があって、細い参道に繋《つな》がっている。そこをゆるりと下ったところの左に、社家佐伯家の私宅があった。広そうではあったが、すっきりとした外観で、ことさらに金をかけているとは見せていない。だが突然夜に二人の来客があっても慌てもせずに、整えられた客間にふかりとした布団を用意できるところが、清鏡神社を預かる川辺《かわべ》家とは違うのだった。


弓月は真夜中、薄く蒼《あお》い月光の下に立っていた。

歩くには十分明るかったので、初めてでも庭の隅にある厠《かわや》へ行くのに困らなくて助かった。狭いながらも綺麗《きれい》に整えられている庭には、何やら白い花が咲いていて、闇の中の夜露を見ているようで美しい。

(あれ……)

一瞬、板塀の上部の隙間から、参道の方に明かりが見えた気がして、弓月は思わず夜の中で立ち止まった。

大きな樹木に覆い被《かぶ》さられている裏参道は、月の下でも大層暗い。先刻彰彦に案内されて来たときも、手燭《てしょく》の明かりがあったのに、慣れない道とて階段から足を踏み外しそうであった。

(……丑《うし》の刻参りだろうか)

こんな時刻に、真っ暗な境内を歩いている者がいるのだ。それくらいしか用を思いつかないが、何とも薄気味悪いこと、この上ない。

火のついた三本の蠟燭《ろうそく》を立てた鉄輪《かなわ》を頭にかぶり、顔を朱に塗る。その上で闇をかき分け、一人踏み込んだ神社の暗闇で呪うのは、誰のことなのだろうか。弓月は眉根《まゆね》を寄せ、早々に部屋に帰ろうとした。そのとき、また塀の方を向く。

(人の喋《しゃべ》り声がした?)

小さな声だったが、確かに受け答えを聞いた気がする。それならば誰が参道にいるにせよ、丑の刻参りではなかった。人に見られてはならない呪詛《じゅそ》に、二人連れで来る者はいないからだ。

怖いと思っているのに、足が塀の方へ向かった。己のそろりとした動きに苦笑が湧いてくる。

(確かめるのが嫌なのなら、さっさと布団の中に逃げ込めばよい話なのに)

塀の上部は透かしになっていて、向こうが覗《のぞ》ける。目から上を出し、そっと参道に目をやれば、月明かりの下、確かに二人坂を下ってきているのが分かった。

(こんな時刻に、神社で何をしていたんだろう)

興味が湧いて、相手をよく見ようと更に頭を上げる。先を歩いているのは男のようであった。袴《はかま》をはいているその姿は、町人ではないようだ。

(顔が分からないかね)

見知った者だろうか。今日彰彦を襲った浪士かもしれない。弓月が塀にしがみつくように張り付いた、そのとき。

突然板塀の隙間から、刀が突き出された。

(あっ……)

それは見事に弓月の腹を突いていた。すぐに引き抜かれると、血が噴き出す。夜の中、流れ出ているものは奇妙にどす黒く見えた。

(そうか、二人じゃない。三人いたんだ)

納得をした。それが最後に頭を過《よ》ぎった考えだった。


「兄さん、兄さん！」

じれたような声が、遠くから近づいて来ていた。やがて一寸の間途切れると、顎《あご》に鋭い痛みが走る。前にも同じような事があったから、己がどういう状態だったかはすぐに分かった。うめき声と共に布団から起きあがり、弓月は両の手で顎を覆った。

「……信行、お前起こし方が段々と、きつくなってきてやしないかい？」

とんでもない悪夢から救ってくれたのは有り難いと思うものの、どこかが、ずきずきと疼《うず》くのはたまらない。

抗議の声に対し弟からは、妙にきちんとした返事がきて憎らしい。

「そうは言いますが兄さん、今まで殴ったのは、夢告から引き戻すための、必要な手だてです。今日はただ、寝ていただけなんでしょう？　兄さんのうなり声がうるさくて目が覚めたんで、遠慮なく叩《たた》き起こしたんですよ」

「ごめん、悪かったよ」

(でも私だって、好きで斬り殺される夢なんか、見たわけじゃないんだけどなあ)

余りに生々しかったので、刺された場所が痛いような気さえしてくる。腹をさすっていると、信行が奇妙な目で、その所作を見ている。

何となくきまりが悪くて、早々に布団から起きあがった。寝足りない気もしたが、季節がら既に明け六つが近いらしく、ほの明るい。諦《あきら》めて簡単に身の回りを整え厠へ行こうと部屋を出た。

(夢の中じゃ、こうしていて庭を横切ったら、誰かに殺される羽目になったんだよね)

そう考えた途端、僅《わず》かに歩が鈍った。そんな己に笑いがこみ上げてくる。

(大丈夫だ。占ったわけでもなし、ただの夢じゃないか。あんな馬鹿なことが、本当にあるわけがないんだから)

もう真夜中ではない。ここは夢の中でもなく、怪しげな男もいない。目の前の、明るさを徐々に増してゆく整った庭には、危険な感じは微塵《みじん》もなかった。

(大体、日に二度も辻斬《つじぎ》りに行き合ったことさえ、驚くような話なんだよ。父上に話したって、ほら話と笑われかねない)

弓月はきつく首を振った。

「ええい、我ながら情けないこと。今から見にいけばいいのさ。私はここにいる。刺されて死んだわけじゃ、ないのにさ!」

気を取り直し先へ行く。夢のあとをたどり、夜の中で見た板塀に顔を向け……弓月は鋭い悲鳴をあげた。

己が串刺《くしざ》しになった記憶も生々しいあの場所。そこで、家に帰ったはずの吉也が血を流して倒れていた。

第三章

1

明け切ったばかりの白っぽい空から、真っ赤な血が降ってきていた。弓月《ゆづき》は動くこともできずに、ただその血にまみれてずぶ濡《ぬ》れになってゆく。息の詰まる濃厚な臭い。頭の芯《しん》がぐらぐらと揺れて、己がどこかへ飛ばされてゆきそうだ。

歯を食いしばった。

(駄目だ、だめだ、だめだっ。気をしっかり持つんだよっ)

自身に必死に言い聞かせても、目の前が真っ白になってゆくばかり。

「弓月さん？　どうしました」

(いや、真っ赤だ……)

「弓月さん？」

聞き慣れた声がする。

「兄さん？　庭の真ん中で、夢の続きでも見ているんですか？」

背後からの問いかけに返事もできずにいると、足音が近づいてきた。

「ええい、いつもいつも！」

いささか業腹《ごうはら》な様子の声がすると、両の頰がいきなり痛んだ。更に何回か、ぴんと張った音が続くと、その気っぷの良い響きに蹴飛《けと》ばされたかのように、血も金っ気の強い臭いも消えてゆく。

気がついたときには、佐伯《さえき》家の庭に尻餅《しりもち》をついていた。

「信行《のぶゆき》、痛い……」

「当たり前ですよ。思いっきりぶちましたからね。二度目ですよ、今朝は」

不機嫌な弟に、黙って庭の先の一隅を指さす。声を聞いて部屋から出てきていたのか、横にいた彰彦《あきひこ》の顔もそちらを向き……短くうめく。信行は素早く庭を横切って、吉也《きちや》の方へ駆けて行った。彰彦も続く。

しかし。

弓月自身は、庭に立ちすくんだままでいた。吉也に近づくことさえできない。遠目で見てももう、こときれているのは明白だったし、今更側に行っても、吉也にしてあげられることはないに違いない。

だが、動けなかったのには別の理由があった。

（また、やってしまった）

深刻な夢告《ゆめつげ》を、日に二度も行ったせいだろうか。弓月の気持ちは寝てもなお、張りつめていたと思える。そんなときはたまに、占ってもいないのに、己の夢告の中に取り込まれてしまうのだ。

そういう夢は目当てのものがない分、とんでもないものになることが多かった。

(前にいきなり子供のころに戻ってしまったことがあったっけ。母上が死んだあの日を、繰り返し繰り返し、夢の中でずっと同じ日を過ごしていた……)

幼いころ、母が亡くなった。うまく悲しみを言い表すことができず、「母さまっ」とだけ繰り返して泣いていた。あのとき初めて、己では占うつもりでないのに、夢の中に入ってしまった。すぐには出ることもできず、母を呼ぶ己の声を、ずっと聞くことになった。あれ以上聞き続けていたら、気が狂うかと思うほど。

それ以来弓月はときどき、己で夢を扱いきれなくなる。そういうときの夢は苦しく、見れば大概、使い古しの雑巾《ぞうきん》になった気分を味わった。

息があがる。口の中がざらつく。

(今朝見たのも、ただの夢じゃなかったんだな)

死んでゆく心持ちを味わったのさえ、初めてではない。

唇の端を噛《か》んで、己の腕をゆっくりとさすり、気を落ち着かせた。そうしている間に、信行が庭から神社の方へ走ってゆく。腕を吊った彰彦が、ゆっくり弓月の許《もと》へ取って返すと、心配げに声を掛けてきた。

「たいへんなものを見つけてしまいましたね。顔色が悪い。大丈夫ですか」

何とか頷《うなず》いた。

（まったく、怪我人に心配掛けるなんて、ざまぁないよ）

だがこの先は弓月だけでなく、神社にいる誰もが、不安な心を抱えることになるだろう。夢告をせずとも、それだけは断言できそうであった。


意味も分からない、切れ切れの悲鳴が庭に木霊《こだま》していた。

誰ぞが知らせたのだろう、庭の隅の門から飛び込んで来て吉也にすがったのは、一人息子の清吉《せいきち》だ。その声が響く中、参集殿に泊まっていた面々も、次々と朝の庭に集まってくる。

「これは……どうして……」

吉也の様子が目に入ると、一様に息を呑《の》んで口を閉ざした。板塀に血で縦縞《たてじま》を書いて、その下に座り込んでいる吉也の様子は、人々から声を奪ってしまったようだ。

その沈黙と前後して、いつぞや弓月を助けてくれた坂上《さかうえ》の親分が下っぴきを連れて、佐伯家の庭に姿を見せた。ここは私宅で、厳密には神社の境内ではない。しかも人一人殺されたとあっては、放ってはおけないのだろう。

(早々に寺社領をご支配の寺社方へ、根回しをしたのかな)

どうやら町方が調べを行う様子だ。

粋《いき》な太い芝翫《しかん》縞の着物の裾《すそ》をはしょり、ちらりと弓月ら、庭にいた者たちにくれた親分の視線が鋭い。すぐに下っぴきと吉也の上にかがみ込んだが、それでも目の端でちらちらと睨《にら》まれている気がして、何とも落ち着かなかった。

ほどなくやって来た同心も加わってのお調べとなる。吉也の検分には長くはかからなかった。岡っ引きが弓月たちのところに来て、簡単に分かったことを知らせてくれる。

「どうみても刀傷だ。それもかなり使える者の仕業だな」

そうと聞いて、皆、不安と安心がごちゃ混ぜになったような顔をした。

(己が疑われなかったのは嬉《うれ》しいが、人斬りがすぐ側にいるのは、かなわないというところかね)

だがそれで話は終わらなかった。親分は親切心から、わざわざ一同のところに足を運んだのではなかったのだ。

「だが、まだ分からねえことも多い。ちょいと話を聞かせておくんな」

そう言われれば、否応《いやおう》もない。庭にいた者は佐伯家の客間に集められ、白加巳《しらかみ》神社にいたわけ、弓月が吉也を見つけたいきさつ、吉也が昨日、一人家に帰った様子まで吐き出すこととなった。岡っ引きは込み入った話を聞くうちに、段々眉根《まゆね》を寄せていった。

「つまり何かい、あんたたち、お大尽である青戸屋《あおとや》さんの跡取り捜しのため、この神社に来ていたのかい」

目つきが厳しくなっている。思い切り皆を疑い始めているようだ。

(親分さん、吉也は刀で手練《てだ》れに斬られて死んだと、先ほどご自分で言いなすったよね)

弓月は思わずそう言ってやりたくなった。岡っ引きに茶を勧めながら、彰彦が落ち着いて子細を説明している。

「青戸屋さんに相談を受けた私が捜して、新太郎《しんたろう》さん候補を集めたのですよ。弓月禰宜《ねぎ》が夢告を得意とすると、お聞きしましてね。本物の新太郎さんが誰なのか、占ってもらおうと思いつきました」

「そういう話なら、息子候補の親の一人、吉也に死んで欲しいと思う者がいても、おかしくはないな。これで邪魔な奴が一人減ったじゃないか」

親分が言いようもきつく、切り込んできた。

途端その言葉に反発してか、包んでいた風呂敷《ふろしき》を解《ほど》いたかのように、皆、てんでに腹の内にあった言葉を吐き出してくる。まず口火を切ったのはお福《ふく》だった。岡っ引きでも男とあれば、口調は相手を搦《から》め捕るように色っぽい。

「吉也さんはねえ、清吉さんが新太郎だと言って、皆の話を猿まねしてばかり。加納《かのう》様は怒っていらしたみたいですよ。何故あの場で吉也さんを真っ二つにしなかったのかしら。あたしには分かりませんよ」

「ふんっ、吉也どのはお福さん同様、己の子の名にも、〝しん〟が付いていたと言い張っていた。それでおぬしと、ぶつかっていたんだったな」

「ちょいと待っておくれな。つまりだ……新太郎さんかもしれない子は、何人いるんだい？」

親分はまだ、摑《つか》み切れていないのか、指で数えている。

「三人ですよ。でも本物はうちの正五郎《しょうごろう》ですから」

「そんな占いなぞ、出てはおらぬだろうが。当家の伊之助《いのすけ》が本物に違いないのだ」

「いい加減にしなさいよ！　貧乏暮らしが長くって、頭がどうにかなっちまったのかい」

「浪人だと馬鹿にしておるのか！」

竹之助の顔色が、さっと赤黒く変わった。今までどちらかといえば飄々《ひょうひょう》としたところがある人に思えていたのに、目の中に狂気が潜んでいるような刺々《とげとげ》しさには、見ているこちらの腰が引けるものがあった。

(竹之助さんは己が浪人だということが、とてつもなく嫌なんだろうか)

寺子屋で教えていて、それなりに暮らしているという話なのだが。

「おい、二人ともよしねえ」

どすの利いた親分の言葉で部屋は静かになった。だがお福と竹之助は、お互いの体を一層引き離して睨みあっている。岡っ引きはこめかみを揉《も》んだ。

「一言聞いただけで、どうして言い争いが返ってくるんだい。子供は三人、親は……今は二人か。仲はいたって悪し。まあ札差《ふださし》の身代が懸かっているとなれば、無理もないか」

岡っ引きはお福と竹之助に向かって、大仰なため息をついた。

「それで、誰が新太郎だということになったんだ？　吉也が狙われるような結果が出たのかい？」

それが殺しの原因かもしれない。そう言われ視線を向けられて、弓月は顔を赤くし首を振った。

「昨日の夢告では誰が跡取りか、はっきりしなかったんです。だから今日また、占おうという話になっていたんですが」

「こう申してはなんだが、あの占いは信用ならぬ。ころころと言うことが変わるからな。だがとにもかくにも、結論は出ていなかったのだ。誰かが今、吉也どのを殺したいと思うはずもないのだがな」

竹之助が横から首を出してそう言うと、これにお福が続く。今度は珍しくも竹之助の言葉に頷いている。

「確かにいい加減な占いだよねえ。あげくに人殺しに巻き込まれるなんて、うんざりですよ。大体、何であたしらが疑われるのかしらね？　吉也さんが帰る前から、今の今まで、皆一緒にいたじゃないか」

　吉也が帰って暫《しばら》くは、全員一部屋にいたのだ。その後も急な宿泊の話に、宿を分けることになった弓月たち兄弟以外は、そのまま参集殿に泊まった。この説明に、岡っ引きは更に頭を抱えた。弓月も小首を傾げている。

（そうだよねえ。参集殿にいた誰かに、人が殺せたとは思えない）

　それに神社の内に泊まっていた者たちは、佐伯家の場所を知らない。それは吉也もまた、同じだったはずなのだが……。

「うーん、佐伯家の客間に泊まっていたお前さんたち兄弟は、誰が新太郎に決まろうとも、関係ない立場だよな」

「当たり前ですよ。吉也さんを殺す理由なんかありません」

　これでは手柄は、遥《はる》か霞《かすみ》の先だと思うせいか、岡っ引きの顔は硬い。

「参ったね。分からないことだらけときやがる」

　またこめかみを揉み出した親分は、最後にひょいと顔を上げ、とにかく確かなことを知りたいと念を押してきた。

「あんたの占いが当たらないってことだけは、本当なんだよな？」

　真正面からこう聞かれては、弓月は苦笑するしかない。しかもすぐにきっぱりと否定しなかったのが弟の気に障ったらしく、ぴしゃりと膝《ひざ》を叩《たた》かれてしまった。

（何でこうなるんだい）

今度の夢告を引き受けてから、弟にひっぱたかれてばかりいる気がする。弓月はどうしても抑えきれなかったため息をついて、また弟に睨まれてしまった。

2

とりあえず許しが出て一同が参集殿に戻れたのは、そろそろ四つになろうかという刻限だった。朝からずっと座っていただけなのに、皆ぐったりとした様子で機嫌が悪い。弓月たち兄弟も一緒に部屋に帰ったが、彰彦は思わぬ出来事に、他の神官たちと話があると言って姿を消していた。

「それにしても、もう何もかも話したのに、暫く白加巳神社を離れないでくれとは」

はっきりと不機嫌さを隠さないのはお福だ。思わぬ足留めに、習い事にやってくる弟子のことが大層気になっている様子だ。

「どうしたらいいんだか。昼過ぎに、三人は来るはずなんですよ」

よほど困っているところをみると、金払いの良い特別な旦那《だんな》が、弟子の内にいるのかもしれない。

だがお福でなくとも、人殺しがあった上、これからどうしていいかも分からないのでは、落ち着けるはずがなかった。

「そういえば朝餉《あさげ》もまだですね。彰彦さんか……誰ぞ他の神官さんと話をして、お茶の一杯もいただいてきます」

弓月はそう言って立ち上がると、回廊に出た。己たちも同じ客とはいえ、神社の内であれば、神官が動くべきだろう。空《す》きっ腹のままだと余計に皆苛《いら》つきそうだ。

（彰彦さんに会いたいとなれば、庁屋《ちようのや》へ行くのがいいかね）

足を西回廊の方へ向けた。そのまま美しい反りを見せている高欄の脇を抜けて庭に下り、神門前の参道を東へ横切る。灯籠《とうろう》を背に歩いているとき、先の方の藤棚が作ってある辺りに人影を見かけた。弓月はほっとし声を掛ける。

「あの……」

それきり、先が続かなかった。

その後ろ姿は呼びかけに足を止めず、大きく葉を茂らせた藤棚の向こう、板塀の陰に吸い込まれて消える。驚いたことに、ちらりと目に入った着物は暗い色をしていた。

（ここの神官方なら、白い着物に浅黄の袴《はかま》か、紫の袴。親分さんたちは、はっきりした縞の着物だったよね）

もちろん着流し姿の同心ではない。誰ぞ、弓月の知らない下男なのかもしれない。

だが、もしかしたら。

（吉也さんは、刀傷を負って死んでいた。下手人は浪士で、そいつはまだ神社の内をうろついている、などということがあるだろうか）

昨日、弓月たちは二度も襲われている。ひょっとして、また行き合ってしまったら、己も斬り殺されるかもしれない。心の臓が思い切り速く打ち始めている……。

「もし、どうしました」

突然声を掛けられ、弓月は寸の間顔を引きつらせた。ぎくしゃくと振り返ると、昨日、茶を運んで来てくれた、若い丸顔の禰宜《ねぎ》が側に立っていた。

「いえ、その……参集殿の皆さんに、お茶をいただけないかと思いまして」

どうにかまともな返答をする。

「おや、もしかして朝餉もまだお出ししていないのでしょうか。これは申し訳ないことをしました」

仁宣《ひとのぶ》と名乗った禰宜は、すまなそうな顔をして、すぐに何とかいたしましょうと請け合ってくれた。

「それはありがとうございます」

礼を言うと共に、目を今一度藤棚の方へやった。もう人影はない。下男に藤の世話をさせているのかと尋ねると、若い禰宜は首を傾げた。

「庭のことは、庭師に任せてあるはずですが、今日は来ておりません。何か？」

「いえ、今、暗い色の着物を着た方を見たものですから」

まさか、いきなり辻斬《つじぎ》りかとは聞けない。神社内にいるとなれば、大騒ぎになること必定だ。

仁宣は大きく目を瞠《みは》った。しかしすぐに笑顔を浮かべ、あっさりと別の答えを返してくる。

「ああそれでしたら、玄海執行《げんかいしゅぎょう》様でしょう。亡くなった方の葬儀のことで、彰彦権宮司《ごんぐうじ》がお呼びしたんです。神社では出せませんからね」

「そうか、墨染めか」

僧衣ならば黒いのが当たり前。

(何度も夢の恐ろしさに摑まっているうちに、とんでもなく臆病風《おくびょうかぜ》に吹かれていたらしい)

弓月はほっとして、もう一度神官に深々と頭を下げ、その場を離れようとした。すると、その姿を追いかけるように、仁宣が言葉を掛けてくる。

「まだ、こちらに……その、葬儀の後もおいでになるのですか？」

「はい？　え、ええ、多分」

参集殿の集まりとは一応関係ない禰宜から、こんな質問を受けるとは意外だった。

（食事の支度の都合があるからかね。まあ誰が大金持ちになるか、ここの神官さんたちも興味があるのかもしれない）

ひょっとしたら、占いの結果に小金でも賭《か》けているのだろうか。

「皆さん帰るに帰れないでしょう。何しろまだ、新太郎さんが誰だか、はっきりとしなくてね」

その答えに、仁宣神官はじっとこちらの目を見ている。なんぞ妙な話をしたかと弓月が気になるくらい、長く黙ったままでいた後、小声ではっきりと言った。

「お集まりの方々のことではありません。弓月禰宜、あなたのことです」

「えっ？」

驚いて声を返すこともできない。立ちすくんでいるうちに、庁屋の方から歩いてきた神官に声を掛けられた。仁宣は無言で頭を少し下げると、その場を離れてしまう。

後には、ただただ呆然《ぼうぜん》と立ちつくしている弓月が一人残された。

「その……何で私のことを聞くのかな」

わけが分からず、驚きと多少の薄気味悪さが残った。

（どうして……）

いっそ夢告《ゆめつげ》でもして占ってみたいところだが、己のことは他の何よりも見えすぎる。夢が重なると、真っ白な光しか目に入らないから、やるだけ無駄な話だった。

分からないことを考え続けても仕方がない。弓月は疑問を振り払うように、少しばかり肩を震わせた。その後彰彦を捜しに、再び庁屋に向かって歩き始めた。

（どう考えても、あの清吉という十三の子供一人では、吉也の葬儀を出すことはままならないはずだよ）

白加巳神社に吉也たちを呼んだのは彰彦だ。こうとなったら、葬儀の手配も全て彰彦がするはずだが、寺請《てらうけ》制度の下、葬儀はいっさいが仏式で行われるべしと、お上により定められている。勝手知ったる白加巳神社で神葬祭にできない分、却《かえ》って色々大変なのは目に見えていた。

（手伝えることは、私もやらせていただきます）

そう伝えたいのだが、どこにいるのか彰彦が捕まらない。庁屋、拝殿と回って結局会うことができず、ため息と共に参集殿の回廊に戻れば、開け放たれた障子の内、元の部屋に彰彦の姿が見えた。

「やれ、間抜けな話だよ」

苦笑と共に掛けようとした声が、喉《のど》につっかえる。彰彦の横に黒い衣が見えた。

（玄海執行様）

皆と、何やら話をしている様子だ。

（嫌だね。墨染めを見たからって、何を緊張しているのか）

そのとき社僧の一際太い声が、はっきりと回廊にまで響き渡った。

「権宮司、お集まりの方に正直に話したらどうですかな。岡っ引きはあなたを、人殺しの元締めだと思っているんだと」

弓月は廊下に立ちすくんでしまった。


「玄海執行様、それは……」

僧の後ろには、夢告に集まった一同がいて、半分近くは立ち上がっていた。突然の言葉に、揃ってうろたえている。

(彰彦さんが、人殺し?)

当人はそう言われても、落ち着いて座っていた。真っ直ぐに玄海を見つめ返すと、子供にでも言い聞かせるような調子で、噛《か》んで含めるように優しく話し出した。

「いけませんね、執行様、そのような戯《ざ》れ言《ごと》を言われて。つい本気になさる方も出てきてしまうでしょうが」

僧たる者が確証もないことを、面白がって言うものではないと、少し口調を強めてきっぱり言い放つ。

「これは申し訳ない。権宮司が、というより、神社が浪士たちを匿《かくま》っているという話でしたな。そして浪士らは逃げ場があるのをいいことに、辻斬りを繰り返していると」

「冗談を言われる暇があるのなら、お勤めの方をもそっと、きりきりと片づけていただきたいものですね、執行様。最近気もそぞろなご様子だ。大丈夫ですか、吉也さんの葬儀をお願いして」

「当たり前だ！」

痛いところを突かれたのか、玄海は赤い顔をして部屋を出ると、弓月の横をすり抜けて行く。部屋に入ると、残された客たちは少しばかり呆然として、彰彦に視線を投げていた。

（人殺し呼ばわりとは穏やかでない）

それでなくとも、辻斬りが出たり吉也が亡くなったりで、皆、不安な気持ちが拭《ぬぐ》えないところだ。この上頼りの彰彦にまで、とんでもない疑いが掛かったままでは、座ってもいられない。

彰彦の方は落ち着いたもので、弓月の姿を見ると、もう体の調子は大丈夫かと柔らかい笑顔で聞いてくる。弓月は思わず頭を下げていた。

「私の方はご心配には及びません。ですが……その」

「いえね、玄海執行様は葬儀の打ち合わせのため、こちらにおいでになったんですよ。慣れておいでのこととて、その話は滞りなく済んだのですが」

一段落付いてくると、参集殿にいる面々から雑談が出るようになった。ところが今朝方のお調べの様子が話題に上り、その話で座が盛り上がると、突然執行は彰彦にからんできたのだという。

「急に権宮司様のことを悪し様に言われるんですから、驚いちゃいましたよ」

お福の言葉の後に、幸右衛門《こうえもん》も少しばかり笑いながら話を続けた。

「余り親しみを感じる話しぶりではありませんでしたな」

どうやら執行の放ったきつい言葉は、弓月が聞いただけではなかったらしい。

「彰彦さん、どういうわけで執行様は、あんな態度を取られたんでしょうか?」

「余りお聞かせしたいことではないのですが……」

「彰彦さん!」

皆の視線が己から離れないのが分かると、彰彦は苦笑と共に一つ、ため息をつく。

「致し方ありません。少し長い話になりますが、わけをお話ししましょう。ただ聞けば分かることと思いますが、くれぐれも余所《よそ》ではこのことを、口にされぬよう」

そう断ると、立っていた者を座らせる。それからゆっくりと、子細を語り始めたのだった。

「皆さんも何となくお感じでしょうが、このところ、世情は急を告げています。坂上の親分さんの前では、とてもこんなことは言えません。下々《しもじも》が政《まつりごと》に口を挟むなど、とんでもないことですからね。だが真実に目を向ければ……世は節目に来ているのかもしれない」

部屋の内の顔が皆、引き締まった。

「十年ほど前に、浦賀《うらが》沖に黒船が来ました。その二年後、安政二年には、新太郎さんの行方が知れなくなったきっかけ、大地震が起こって、大勢が亡くなっています」

その三年後にはコロリが流行《はや》って、更に多くの人が死んだ。それからまた二年もしないうちに、今度は桜田門外で、井伊《いい》大老が殺されている。

「この国は今、大揺れをしています。札差《ふださし》の青戸屋さんなら、色々耳に入ってくることもあろうかと思いますが……皇女和宮《かずのみや》様が公方《くぼう》様とご結婚なされても、勤王の志士と呼ばれている人たちの動きが、収まるものではないですからね」

京に本家があり、名の知れた社家の一員でもある彰彦のところには、様々な話がもたらされてくるのだろう。下々には推察もできない、きな臭い内報もあるに違いなかった。

「落ち着かぬ話だと思っても、政とは無縁な者には、もちろんどうすることもできません。しかし、そうは達観できない方もおられましてね」

例えば社僧の中には不安を持つ者も、かなりいるようだと言う。

「幕府は寺に厚い庇護《ひご》を与えてきました。その頼りが揺らいでいる。今までのようにはいかなくなるかと、心配なのでしょう」

「なるほど……」

弓月は得心して頷《うなず》いた。別に神社が粗略に扱われているというわけでもないが、寺が別格の処遇をされてきたのは事実だ。第一に、全ての者は必ず寺院の檀家《だんか》になる決まりだ。そうでなければ、人扱いしてもらえない。神を信ずる神社の神職ですら、どこかの寺の檀家とされているのだ。

「暫《しばら》く前に噂が広がりましてね。新しい世を望む者たちには、幕府と密接な関係にある仏教に代えて、神道を国の礎《いしずえ》とする考えがあるというのです。ただの噂ですよ」

だがそれ以来、玄海執行ら社僧の一部が、浮き足だってしまった。

「一気に神職への風当たりが強くなりました。我らにしてみれば、たまったものではありません」

それまで同じ社内でうまくやっていたものが、何かに付け勘ぐられるようになった。近所で辻斬《つじぎ》りが出れば、神官が匿《かくま》っていると言われ、青戸屋の相談に乗れば、金目当てに札差に取り入っていると噂される。

「おまけにその金を、幕府の敵に贈っていると言われているのだから、穏やかではありません」

「坂上の親分さんも、神社が浪士を匿っているという噂を、ご存じなんですね。だからあのとき、助けた私が神職と聞いて、対応がきつくなったんだ」

以前に彰彦が弓月たちに説明した理由だけでは、なかったわけだ。

「玄海執行様は、最近特にご機嫌が悪くておいでで。今朝のお調べの話から、浪士や辻斬り、ひいては面白くもない噂を思いだしたのでしょう。それで私に向かい、人殺しなどと口にされたのだと思います」

「何と……まあ」

「これからは川辺家のご兄弟も諸事、お気をつけください。神職を名乗る者は、注意が必要なご時世なのです」

そのうちに神職というだけで、岡っ引きに捕まるかもしれませんよと真面目に言われて、弓月と信行は驚いて顔を見合わせた。関係ないことと思っていた政の影響が、いつの間にやら市井に住む己らにまで、及んでいたのだ。

3

白加巳神社から吉也の住まいの方に、知らせをやったらしい。神宮寺の一隅で行われた通夜の席には、住んでいた長屋の大家や、吉也の持っている水茶屋《みずぢゃや》に勤めている若い女たちも顔を出していた。

部屋の奥に据えられている棺《ひつぎ》は早桶《はやおけ》だったが、青戸屋が払いを持つと言ったせいか、通夜の支度は貧乏長屋で見かけるものより、よほどのこと立派なものになっている。

棺の上には両脇から、邪気を払う龍頭《たつがしら》が立てかけられて、それには編み行灯《あんどん》が吊るされていた。更に手前に置かれた机の上には、飯を山と盛った茶碗《ちゃわん》と線香の他に、燭台《しょくだい》に立てた太い蠟燭《ろうそく》も灯《とも》されている。

しかしお悔やみに来てくれた者たちは皆家が遠いせいか、木戸が閉まる前に帰りたいと、長居をせずに辞してゆく。読経《どきょう》が済めば玄海執行も、さっさと座を外してしまった。後には結局、弓月たち兄弟と彰彦、青戸屋夫婦、お福親子、竹之助親子と喪主の清吉という、昨夜と同じ面々が残った。

今宵《こよい》も神社の方で膳《ぜん》を用意してくれたが、仏の前で騒ぐわけにもいかず、静かな夜となっている。己たちが新太郎を捜すために設けた集まりで吉也が死んだせいだろうか、青戸屋夫婦は一人になってしまった清吉に、気遣いを見せていた。

「確かおっかさんもいないんだったね。清吉さん、これからのあてはあるのかい?」

夫婦してもの柔らかに問いかけている。十三ながら喪主になってしまった清吉は、棺に近い席に座って、硬い顔で頷いていた。

「あたしはもう、奉公しておりますんで」

水茶屋に子供の手はいらないと、吉也は清吉を日本橋近くの紙屋に、十の歳に行かせたのだという。藪《やぶ》入りの日に帰るあてはなくなってしまったが、とりあえず暮らしてゆく場があるのは、ほっとする話だった。

「そうなの、小さいころから働いて偉いねぇ」

新太郎かもしれないと思うからか、お栄の言葉は甘い。だが十くらいになれば、奉公に出るのはよくある話だ。そのときふと、弓月は子供の歳が気になった。

(そうか、十くらいになれば奉公にゆく。新太郎さんが居なくなったのは五つ。その歳なら働くには早いが、そろそろ手習い所に通ってもおかしくないころだよね)

ぽんと、思いついたことがあった。ゆっくり頭の中で反芻《はんすう》してみる。弓月はそれからちらりと、周りを見やった。

朝までにはまだ随分あるが、吉也と真実親しい者は清吉だけ。ほとんどはお互い昨日初めて出会った者ばかりとあって、通夜の席は言葉も途切れがちな様子だ。夜通し起きているのが決まりだと分かっているだけに、何とも具合が悪い。弓月は清吉に声を掛けている彰彦の姿を、目で追った。

(吉也さんの死で、新太郎さん捜しは止まってはいる。でも、どのみち青戸屋さんの頼みを、放ったままでは帰れまい)

それならばいっそ、暇が部屋の内に溢《あふ》れている今が、話し時かもしれない。腹をくくると、弓月は一同に向かい口火を切った。

「あの、こんな席で言うのもなんですが、新太郎さんのことで、ちょっとお話が」

低い声で交わされていた雑談がぴたりと止んだ。視線が集まってくる。

「おや、弓月禰宜《ねぎ》。この場でまた夢告《ゆめつげ》をやろうというんですか？」

竹之助から、いささか皮肉っぽく投げかけられた言葉に、弓月は慌てて首を振る。

「それはご勘弁を。通夜の席ですし、その……いささか体調が悪いので。そうではなく、少しばかり思いついたことがあるのですが」

弓月はこれ以上夢告の話が出る前にと、急いで先を続けた。

「行方知れずになったとき、新太郎さんは五つです。もちろん大層幼い。ここにいる新太郎さん候補のお三方にしても、迷子になる前の家のことを覚えていないのは、仕方がありません」

しかしそろそろ手習い所に通うころでもある。毎日の出来事を何もかも全て、忘れてしまったとは思えないと語った。

「皆さんも、随分昔の話で、奇妙にはっきりと覚えていることが、おありなんじゃありませんか。いえ、大したことでなくともいいんですよ。例えば猫の名前。近所の友達のこと。そんな思い出の中で、青戸屋さんも覚えておいでのことがあったら、その話をした人が新太郎さんだ」

「驚いた。その考えはいけますよ、兄さん」

横にいた信行の口から、久しぶりに褒め言葉が出てくる。さあどうでしょうと部屋の内を見渡せば、真っ先に青戸屋夫婦の対照的な顔つきが、目に飛び込んできた。

（えっ……？）

お栄は思った通り、今度こそ新太郎が誰か分かるかと、喜色満面の顔をしている。対して幸右衛門は、どこまでも冷静な顔つきを崩していなかった。

どう取ればよいのか分からず、弓月は言葉を継げずにいる。そうしているうちに、父親の横から膝《ひざ》をついと前に出し、まず伊之助が口を開いた。

「あの、昔の出来事なら一つ、頭に引っかかってます。幾つのときのことだか、はっきりしないのですが、私は幼いころ誰かに凧《たこ》を揚げてもらいました」

多分赤っぽい鳶凧《とんびだこ》だったという。早くも転がり出てきた話に、部屋の内が沸いた。

（さて、この思い出はどうかね）

皆の視線が期待を込めて、伊之助から向かいに座った青戸屋夫婦に移る。だが幸右衛門もお栄も、どうにも表情は冴《さ》えなかった。

「凧じゃあねえ。凧同士の喧嘩《けんか》になって、雁木《がんぎ》で糸を切られれば、後は落ちるか搦《から》め捕られてしまうかだ。だからうちの子は字凧、角物、奴《やっこ》、般若《はんにゃ》と、沢山凧を持っていたよ。鳶凧もあったろうが、その話だけで新太郎とは決められない」

並外れて裕福な商人の言いように、皆一寸《ちょっと》黙り込む。

（五歳では己で凧を揚げることすら難しいだろうに、新太郎さんは、覚えていられないほ

ど数を持っていたんだ)

弓月が呆《あき》れている間に、今度はお福の並びにいた正五郎が声を出す。

「幼い昔の思い出といえば……菓子のことくらいです。綺麗《きれい》な色の干菓子をもらった覚えがあるんですよ。そりゃあ上等な菓子だと言われた気がするんですが」

「上物の干菓子ねえ。あたしは新太郎にそんなおやつを、あげたことがあったろうか」

話を聞いたお栄は、やや戸惑った声を出した。

有平糖《アルヘイトウ》の干菓子は、化粧箱に入れられたりして贈答に使われる大層な高級品だ。もちろん青戸屋ならば買うことも、子に与えることも簡単にできるだろうが、子供向きかと言えば、余りそうとは思えない。

「お前さん、どう思われますか」

お栄に聞かれて、幸右衛門は迷いも見せずに、すぱりと言い放った。

「新太郎にそんな物をやった覚えはないね。第一おやつは、ばあやが用意していた。軟らかいものが多かったはずだし、新太郎の好物は確かぼた餅《もち》だったよ」

その答えに納得できなかったのは、正五郎よりもお福だ。幸右衛門の方へぐっと身を乗り出すと、粘っこい調子で言葉を返す。

「ねえ青戸屋さん、そうあっさりと片づけないでくださいな。お菓子のことは数少ない手がかりじゃありませんか。それとも残ったお一人が、あっと驚くような話を持っておいでなんですかねえ」

そう言って、ちらりとお福が見やった先には、棺の前でぽつりと一人、黙って座っている清吉がいた。やはり十三では、頼りの親を亡くすとどうにも分が悪いらしく、口を出すことができずにいる。

「清吉さん、あんたはなんぞ覚えているかい？」

幸右衛門が優しく尋ねるが、それでも大きな声は聞けなかった。

「あたしは……火が怖いとしか言えません」

その心許《こころもと》なげな短い言葉に、幸右衛門は己の思い出を語った。

「よほど火事が怖かったんだね。私も幼いころ、火事にあってね。そのとてつもない恐ろしさを今でも思いだすんだよ。白状すると今でも小さな火さえ怖いのさ、本当はね」

立派な押し出しの幸右衛門が、己と同じように火が恐ろしいと聞いて、清吉は僅《わず》かに安心したような顔つきになる。だがお福の方は、それ見たことかと口の端で笑った。

「青戸屋さん、あのねえ、凧なら小遣いでも買えるけど、上物の干菓子となれば、平素子供が手にする物じゃありませんよ。そんな物を幼い子に与えられるのは、お大尽だけだと思いますけどねえ」

その言葉と共に、お福はついと幸右衛門に身を近づける。座ったまま喋《しゃべ》りを続けつつ、器用に、にじり寄ってゆく。

「頭の隅で、菓子のことを覚えておいでじゃないんですか？　きっと思いだしてくださると思うんですがね」

少し上目遣いに幸右衛門を見上げる顔が、行灯の明かりの中では若々しく、なまめかしい。

「あたしが言うのも何だけど、正五郎は青戸屋さんに似ていますよ。眉《まゆ》がきりっとしているところとか、指が長いところとか」

そう言うと、ふっくらとした指先が、幸右衛門の羽織の裾《すそ》にかかる。新太郎の話をしているというのに、幸右衛門はお福の方を見もせず渋い顔を浮かべていた。

(何となく、新太郎さんを見つけたいのかどうか、はっきりしないというか……）

それとも年若い弓月にはまだ、親心が分からないだけなのだろうか。

そのとき、隣からお栄の甲高い声があがった。

「指？　そうだ！　手だ、手だよっ」

「そ、そんなに大声を出さなくとも、ようござんしょう。ちょいと着物に触れただけで……」

傍目《はため》にも分かるほど、お福は顔を赤くしている。しかし青戸屋のお栄はその様子など、目に入っていないようであった。己の両の手を、食い入るように見つめている。

「手形だよ！　思いだした。赤子のころ、新太郎の手形を取って、寺に奉納したことがあった」

今までそんなものがあったことさえ、お栄は忘れていたのだ。新太郎は行方不明で、役にも立たなかったからだ。

だが、こうして三人の子が新太郎を名乗っている今は、話が変わっている。気になる昔の思い出話は、子供たちからではなく、お栄から飛び出してきたのだった。部屋の中に驚きの声が湧く。

それを、幸右衛門が遮った。

「あの手形を奉納したのは、随分前の話だ。その後、大地震も火事もあった。まだ残っているかどうか……」

「そんなことは承知してますよ。でも確かめてみるべきでしょう？　手形があれば、新太郎が誰か、きっとはっきりします」

お栄は依然目を輝かせている。一同は顔を見合わせた。

「確かに問い合わせる価値はありそうですね。早々にご住職に使いを出しましょう」

朝になったら自分が使いに行こうと、信行が申し出る。奉納先は青戸屋ゆかりの寺だから、この白加巳神社からもそうは遠くない。しかし明日は吉也の野辺送りだからと、彰彦は神社の若い神職の一人を使いに立てると言い、信行に頭を下げた。

「嬉《うれ》しいこと。明日になれば、何か分かるかもしれない」

今度こそと、お栄は期待に目を潤ませている。弓月はこれ以上夢告をせずに済むかもしれないと、心の底よりほっとしていた。その上。

(早々に新太郎さんが見つかれば、私も無事に家に帰れる。夢で見たように、誰かに斬られたりしなくて済むかもしれない。血まみれにならず、生き延びてゆけるかも……)

だが己の見た夢告を出し抜いて、そんなにうまくことが運ぶのだろうか。弓月は急に明日という日を占ってみたくなった。だが絶対に知りたくもないと思えたりもした。

4

翌日葬列が組まれ、吉也は縁《ゆかり》の寺で無事、土葬にされた。

土饅頭《どまんじゆう》の上に清吉が、邪霊が近づくのを防ぐ為の籠《かご》を載せ、最後にもう一度皆で拝む。墓場を離れるとき、清吉が不安そうに肩を震わせ、泣き顔の目を真っ赤にしているのが目に入った。

それは心細げで哀れな様子だったが、青戸屋が卒塔婆《そとば》の掛かりまで払おうと言ってくれたので、少なくとも当座の金のことで子供が困ることはない。その鷹揚《おうよう》さは誠にお大尽の名にふさわしかった。僧侶《そうりよ》も神官も青戸屋に深く頭を下げる。感謝の言葉を口にする。寺に居合わせた人たちも、慈悲深い話だと視線を幸右衛門に向けている。手を合わせている者すらいた。

（裕福だということは、こういうことなんだと、身に沁《し》みる話だよねえ。益々《ますます》誰もが、青戸屋の身代を欲しがるだろう）

　葬儀が終わっても、手形を待っている今、帰宅はできず、皆また白加巳神社の参集殿へ帰ることとなった。大層遅い昼餉《ひるげ》を簡単な握り飯で済ませ、手形を納めたという東天院《とうてんいん》へ出した使者を待ちかねるのだが、なかなか戻っては来ない。

　速まれと願えば、ことさらにゆるりと感じられるのが時の流れだ。一時を争う話ではないのに、待っているうちに皆、せき立てられた上に、争っているかのような顔になってくる。

　彰彦が苦笑ぎみな表情を浮かべ、遅くなったときには吉也の供養も兼ねて、心づくしの夕餉を出すからと言いそえつつ、茶を出している。一同から少し離れ、部屋の端にいた弓月たち兄弟にも、彰彦は手ずから茶を運んでくれた。

「手形で跡取りが誰か、はっきりするかもしれませんね。だが夢告《ゆめつげ》で札差《ふださし》の跡取り息子が分かった方が、弓月さんの名もあがったでしょうから、良かったんですが」

　その言葉に信行が頭を下げる。

「本当に申し訳ない。兄の夢告は、とんとお役に立てなかったようで。まったく、もそっと真面目に見てくれればいいのにと、いつも思うんですが。占うのが嫌いなのかもしれません」

信行の言いように隣で弓月が茶をこぼしそうになり、目を真ん丸にする。弟がこんな風に思っていようとは、ただただ驚きであった。

「ちょいと待っておくれな、信行。私がいつ、不実な夢告をしたって言うんだい？」

「兄の占いは見えないことも多いし、外れてばかりと皆に言われています。ですが一昨日も兄が言いました通り、その割に一昨日までは、二度占って違う結果を出したことはなかった。私には奇妙に思えていました」

信行は弓月の抗議を無視して、彰彦に向かって話を続けている。だがそれは正面切っては兄に言いにくいことを、ぶちまけているかのようであった。

「占って見えたものを、全部言った方が相手にとって良いとは限らない。弓月さんは腹に納めて言わぬことも、多かったのではないのですか」

彰彦の言葉に、信行は口調を硬くする。

「そういうことなら、私や父にも相談してくれれば良いではないですか」

不満げな信行の声には、数多《あまた》の言外の言葉が隠されている気がした。それは兄を責めている。のらりくらりと逃げている、呑気《のんき》すぎると、声にならぬ言葉が隠れていた。弓月が憮然《ぶぜん》として話を遮った。

「お待ちよ、信行！　私はお前さんに隠し事など、しちゃいないよ。勝手に話をこさえるんじゃないよ、まったく！」

弟と彰彦の顔が、弓月の方に近づく。二人の顔つきにはっきりと、

『違うと言うのなら、きちんと説明をしておくれ』

と書いてあるのが分かる。弓月は大きく息を吐きながら姿勢を正した。

「彰彦さんはともかく、信行、お前さんはもっとよく分かってくれていると思ってたよ。いちいち詳しく言ったことはなかったがね。つまり夢告は……何と言ったらいいんだろう……」

弓月は確かに白昼夢の中に色々な物を見る。だが物事は、『もしかしたら、こうなっていたかも』という、山のような別の可能性を背負っているのだ。そしてそれら全部が見えてしまうと、余りに多すぎてわけが分からなくなる。

「『もしかしたら、こうなっていたかも』って——何ですか、それ」

彰彦が首を傾げている。弓月はどう言ったら一番分かりやすいか、必死に言葉を選んで言った。

「つまり、彰彦さんが明日、神宮寺に行くかどうかを占ったとするでしょう。すると行くと出ても、起きてすぐに神宮寺へ行く、遅くに行く、参道を通る、庁屋《ちょうのや》へ寄ってゆくなど、色々な、こうあるかもしれない姿が一遍に目に入ってくるんですよ。数が多すぎると、真っ白に光って見えて、何が何だか分からなくなるんです」

だからそういうときは、素直に見えなかったと言うことにしていると、弓月は舌を出した。それは昔起きたことを占っても同じなのだ。

「つまり見えないことは沢山あるが、この兄は、とっても真面目に夢告をしているというわけなんだ」

弓月はここぞと、己の勤勉さと誠実さを主張する。信行は半眼を兄に向け、不信という字を張り付けたような顔を作っていた。

「それならどうして、たまに当たったりするんですか？」

長く夢告につきあってきた分、弟はつっこみ方も鋭い。

「それがね、不思議なことに現実に起こるはずのことが、限られる物事があるんだよ。事の大小には関わりない。例えばどこかへ行くのに道は数あるけれど、必ずある橋を通る、みたいな感じかね。すると私にもその橋は見えてくるんだ」

「夢告という占いは、そこまで見えるものなのですね。何もかも見えてしまうので、却《かえ》って答えが出せないのか……」

「つまりは、ほとんど役に立たないということで」

弓月は彰彦に向かって、小さく笑った。

「分かったような、分からないような」

信行の方はまだ、不満げだ。だがそれ以上言葉を続ける暇はなかった。回廊の向こうに、小走りの足音が聞こえて来たのだ。彰彦が出迎えに立った。

「寺から、お使いが帰って来たのかね」

期待を込めて、皆が顔をさっと回廊の方へ向ける。そこに彰彦が使いの神職を従え戻ってきた。何やら紙を手に持っている。皆の目がそれに吸い寄せられる。使者が頭を下げた。

「遅くなって申し訳ありません。住職はお忙しい方で、なかなか暇を作っていただけず……」

「それで、どうでした？」

尋ねるお栄の声は、期待に満ちている。

「ご住職に青戸屋の三人の息子さん候補と、手形の話をしました。そうしたら、探し出してくださったんですよ。これです！」

使者が皆の前に、一枚の紙を広げて見せた。そこには小さな手が二つ、ちんまりと並んでいる。ただ、紙の下の方が焼けこげていて、手形の一部も損なわれていた。

「大地震のおり、寺も火事にあったそうで」

それでもこれだけ燃え残っていたのは、幸運であった。

「やれやれ、今度こそ、はっきりするのかね」

竹之助がいささかじれた声を出している。

どこぞへ落ちたことがあるかないか。

お栄のものだった櫛《くし》を持っているかどうか。

青戸屋夫婦が覚えている思い出を語れるか。

そして今度は、手形比べときた。

いい加減、うんざりしているのだろう。しかし、では確かめずにおくかと聞かれれば、そうもできない。

「お子さん方、手を見せてくれませんか。事をすっぱりさせた方がいい」

幸右衛門の一言で、三人の子供が一斉に両の手を並べた。

だが。

「これは……参った」

弓月が思わず声を漏らす。

清吉の手のひらには、一面火傷《やけど》の痕《あと》が広がっていた。随分古いものらしく、痛々しい感じはないが、あちこち引きつれがあって、手相がはっきりしない。

「子供のころからある火傷です。やはりこれじゃあ、分かりませんかね」

「凄《すご》い！　正五郎の手相はそっくりですよ！」

そのとき部屋に、お福の甲高い声が響いた。正五郎の背後に座って、嬉《うれ》しさに震えんばかりだ。竹之助が血相を変えて正五郎の手を覗《のぞ》き込んだ。

「何だあ、そりゃあ」

ふんと荒く鼻息をついて、笑い飛ばす。その言いように、お福が嚙《か》みついた。

「見て分からないのかい。同じ手相じゃないか」

「確かに上の皺《しわ》二本の、元は繫《つな》がっているよ。だがそんな手相の者は多い。筋の形は何となく違うじゃないか」

とても本物とは見えないと、言い捨てる。

「何だって！　言いがかりを付けるんじゃないよっ。何年も経っているんだもの。多少は変わっているさね」

「伊之助の手を見な。これこそが本物だ」

竹之助はもったいぶって、息子の手のひらを指さした。この言葉に、今度はお福が大急ぎで伊之助の後ろに回り込む。

「……どこが似ているんだい？　どうみても別物にしか見えないけどね」

伊之助の手を覗き込んだ一同の顔が、難しいものになる。こちらの手相も、上二本が元のところで繫がっていた。よくある形なので、仕方がない。おまけに赤子の手相は、下が焼けこげていて、三本目の形がはっきりとしなかった。

「またしても、決めようがないか。どうしてこうなるのかね」

言い争う構えの二人の親を前に、早々に諦《あき》めの言葉を口にしたのは、幸右衛門だ。

「やはりこれは、もう新太郎はこの世にいないということじゃないかね」

その目は子供の背は見ずに、真っ直ぐに女房を見つめている。肩を少し丸めていた。

「お栄、そろそろ終わりにしようじゃないか。精一杯、調べただろう？　皆にお手数をおかけした。ここに来なければ吉也さんは死なずに済む運だったかもしれない。潮時だよ」

子供らの背中に顔を近づけていたお栄が、ゆっくり、ゆっくりと振り向いた。目に強い光がある。連れ合いを見据えると、低い声で話し始めた。

「あんたってお人は、どうしてそう、新太郎を捜させまいとするんですか。最初に、権宮司《ごんぐうじ》に新太郎捜しをお願いしたいと言ったときから、そうだった」

これを幸右衛門は否定するが、お栄は聞くものではない。

「権宮司から三人候補が見つかったと聞いても、余り会いたそうじゃなかった。新太郎かもしれない子がこうして目の前にいても、調べを止めよう、帰ろうと言うばかり」

「だからわけは言っただろう。今更急に、三人も新太郎を名乗る子が出てくるなんて、私には面妖《めんよう》に思えると」

「いいえ、違いますよ！　あたしは知っているんだ。とっくの昔からですよっ。ばれていないと思っていたんですかっ」

お栄の顔が急に別物になったかのように見えた。まるで、がぶと呼ばれる文楽人形の頭《かしら》のようだ。姫の顔が、寸の間に鬼に変わる。裕福そうにおっとりとしたおかみの顔の下に、夜叉《やしゃ》とも見える表情が、ずっと隠れていたのだ。

「あんたが殺したんですよ」

「お栄？」

「小さかった新太郎を、地震のどさくさに紛れて、あんたが殺したんだ！　だから、新太郎がもうこの世にいないと言い張る。そのことを、知っているからさね！」

お栄の指先が、真っ直ぐに幸右衛門を指さしていた。

第四章

1

幸右衛門《こうえもん》が真っ直ぐに妻を見つめている。その端整な顔もしぐさも微動だにしなかった。傍目《はため》からは何を思っているのか、とんと分からない。誰も口を開かず、縫い針の一本でも畳に落ちる音がしたら、皆飛び上がりそうであった。

やがて腕組みをした幸右衛門が、ふっと小さく笑みを浮かべる。

「どうも新太郎《しんたろう》のことでは意固地になっていると思ったら、お前、そんな風に思っていたのかい」

「本当のことでしょう。地震の後、お前さんは真っ先に新太郎を捜しに行った。でも見つからなかったと言って、帰ってきたわよね。あの子は倒れた家の下敷きになったのかと、泣きたいような気持ちだった。でも後で捜しても、新太郎の死体はどこにもなかった！」

お栄《えい》の視線は厳しい。既に幸右衛門を罪人と決めつけて、罪を問うているかのようだ。

「小さかったあの子が、遠くに行っていたはずがない。家の近くで泣いていたに違いないのよ。じゃあ、何でお前さんは新太郎を見つけられなかったの？」

「あのときは、沢山の迷子が出た。新太郎もその一人だったんだよ」

幸右衛門の声はお栄のとはまったく違い、落ち着き払っている。妻がいきり立っているにしては、驚くほどの肝の据わりようだった。

「おやあ、おかみさんてば、ご自分の旦那《だんな》のことを人殺しと言うのかい。しかも実の子殺しだと」

そこで、二人の話に割って入ってきたのはお福《ふく》だった。険のある顔をお栄に向けている。その視線が、幸右衛門の方に流れたときだけは、器用に色っぽいものに変わっていた。

「嫌だねえ。そんなに亭主のことが嫌いなら、さっさと別れちまえばいいのにさ。こんな様子のいい旦那なら女が放っておかないから、後のことは心配いらないよ」

真っ先に自分が名乗りを上げようと、言っている感があった。お栄は眉《まゆ》を吊り上げると、いらぬ口をきく女に、きつい口調を返す。

「他人が知らぬことに首を突っ込むんじゃないよ。そんなに男が欲しけりゃ、夜鷹《よたか》の真似事でもすればいい。辻斬《つじぎ》りでも引っかかってくれるだろうさ」

「あれま、怖い言いようだこと。お気の毒ですねえ、青戸屋《あおとや》の旦那。亭主の働きで贅沢《ぜいたく》しているのに、家付き娘だと、威張り散らすんだからね。これじゃお前様は気の休まるときがないわいな」

お福はやんわりと言ったその言葉と共に、幸右衛門にしなだれかかった。青戸屋は実にさりげなくも上手に体を引いて、その体を避ける。しかし、それで終わりはしなかった。もたれる先がなくなって、ふらりと近寄ってきたお福の頰に、お栄が強烈な平手打ちを食らわせたのだ。

「ひいっ!」

とんでもなく小気味の良い音と共に、お福が悲鳴をあげる。頰を押さえてお栄を睨《にら》んだ、と思ったときには既に、お福は相手に飛びかかっていた。

「このろくでなしっ」

「あばずれがっ」

髷《まげ》が崩れる。引っ掻《か》く。張り倒す。わめく。睨む。摑《つか》む。

湯飲みが蹴飛《けと》ばされ、ひっくり返る。お栄とお福の体が、畳の上に倒れ込み転がった。着物の裾《すそ》がまくれ上がる。太股《ふともも》の白い肌と赤い湯文字《ゆもじ》が、めまぐるしく交互に見えている。

「止めないか、お栄っ」

「ちょいと、落ち着いて。お福さんっ」

飛び交うのは悲鳴と罵倒《ばとう》だ。数多《あまた》の引っ掻き傷をこしらえつつ、幸右衛門と弓月《ゆづき》、信行《のぶゆき》の三人が後ろから肩を抱え込んで、何とか両人を引き剝《は》がした。だが二人は、足を踏ん張り更に睨みあっている。手の力をゆるめたら、もう一戦、派手な争いが起こりそうだ。

「帰れっ」

お栄がわめく。崩れた髪から、珊瑚珠《さんごじゅ》の玉簪《たまかんざし》が今にも落ちそうだ。

「別にあんたなんかいなくとも構わないものを。ここでの掛かりは青戸屋が持っているんだ。何であんたの飲み食い代まで、うちが出さなきゃならないんだい」

「ふんっ。言っているだろう、あたしの正五郎《しょうごろう》が、青戸屋の跡取りに違いないのさ。つまりあたしは跡取り息子の育ての親。ほら、頭を下げて礼を言わないかい」

「……もし本当に正五郎さんが新太郎なら、あの子は迷子になったんじゃない！　あんたに攫《さら》われたに違いないよ！」

「言ったねっ」

お福が思い切り右肩を振って、片手を自由にした。そのまま勢いよく振りかざし、派手な音と共にお栄の横面を張り倒す。玉簪が吹っ飛んだ。

そのとき。

「何をするっ。止めないか」

低い声だった。だが幸右衛門のこの一言で、お福は手を止めた。顔が直《じき》に赤く濃く染まってゆく。

暫《しばら》く誰も言葉を出さず、ぽっかりと空いたような時が流れる。怒りに凝り固まっていたようなお福の顔は、段々に悔しげな、半べそをかいたようなものに変わっていった。

「子供を捜しているっていうから、来てやったのに。ふざけるんじゃないよっ」

視線を落とし、畳に向かって怒鳴りつけるように言う。

「帰るっ！」

その一言を残し、乱れた着物の前をかき合わせると、お福は足音も荒く部屋を出て行ってしまった。

さて、どうしたものかと、残った者は互いに視線を合わせる。そのとき、それまで部屋の端から黙って母の様子を見ていた正五郎が、口を開いた。

「あのう、母は帰ってしまったんですが……私も出て行った方がいいですか」

この一言で、いきり立ったままでいたお栄の様子が、すっと収まった。正五郎は、息子の新太郎かもしれないのだから、消えて欲しくはないのだろう。

「あらまあ……ごめんね。怖かったかね。その、正五郎さんにまで、怒っているわけじゃないのよ。ただ、その……」

お栄の、おろおろとした優しげな声を聞き、正五郎が頷《うなず》いた。

「なら、私はここにいます。おっかさんのことならご心配なく。すぐかっとしちゃあ、さっと冷める人だから。ご迷惑かもしれませんが、直《じき》にこの部屋に帰ってきますよ」

大人びた様子で落ち着いて言われると、騒いでいた大人の方は、却《かえ》って気恥ずかしい。

お栄は急いで身繕いを済ませると、まだ少しばかりこだわりを残した口調で、言い訳を口にした。

「いえね、昨日の夜……厠《かわや》に立ったはずの亭主が、なかなか帰ってこない。それでちょいと見にいったら、廊下の端でお福さんと何やら話し込んでいるんですよ。何だか、声が掛けられない様子だったし……」

どうもそのときからの不機嫌を、今まで引きずっていたらしい。亭主が子殺しだと言ったのは、不満と苛立《いらだ》ちの表れなのかもしれない。幸右衛門はその言葉に、大きく息をついた。

「妙に遠慮せずに、話しかければ良かったんだよ。お福さんは、ずっと菓子の話にこだわっていたのさね。私が思いだしたと言えば、正五郎さんが新太郎に決まる。諦《あきら》めきれなかったようだよ」

「まあ……そうでしたか」

一応返事はしたものの、お栄は何とも納得しかねている様子だ。その原因が思い当たって、弓月は二人から顔を背け笑いを口に浮かべた。

(お福さん、どう見たって幸右衛門さんを好いたらしく思っている様子だからね。おかみさん、それが気に食わないんだろう)

幸右衛門を責めることは、自分の亭主だと大声で言っているのと、同じことなのだろうか。ある意味、お栄は己の亭主に甘えているのかもしれない。男と女の間のことは難しいと、弓月は小さく息をついた。

正五郎は、すぐにも帰ってくるように言っていたが、その後、お福の姿はなかなか回廊に現れない。だが弓月と信行は、引っ掻かれた傷を肝に銘じて気を抜かないでいた。

しかし。

「どうしたんでしょう。まだ戻ってきませんが」

半時もすると正五郎が、少しばかり心配げな声を出し始めた。

「お福さんはお弟子のことを、気になさっておいでだった。この機会にと、一度家に帰ったのではないだろうか」

竹之助《たけのすけ》は、先の女の戦いを大いに楽しんでいた様子だったが、息子と同じ歳の正五郎への対応は真っ当なものだ。側にいた彰彦《あきひこ》も頷いている。

「きっと夕餉《ゆうげ》の前には、戻って来られますよ。おや、足音がする。お福さんでしょうかね」

弓月がひょいと廊下に顔を出す。参集殿周りの回廊を走ってくるのは、いつぞや会った仁宣《ひとのぶ》という若い禰《ね》宜だった。驚いたことに、顔つきが蒼《あお》く引きつっている。

「仁宣さん？　どうかしましたか」

神官は返事もままならぬ様子で、転げ込むように弓月の懐に飛び込んでくる。膝《ひざ》を突き、顔を見上げてきた。しわがれた声が凶事を告げる。

「こちらにおいでのお客様が……女の人が、西回廊脇の木立の中で……倒れておられて」

今、玄海執行《げんかいしゅぎょう》を呼んでいる。だが。

「息をしておいでには、見えませんでした」

正五郎の口から、ひゅえっという言葉にならない声が漏れた。その姿を清吉《せいきち》が呆然《ぼうぜん》と見つめている。

誰もがすぐにはどうしたらよいのか、思いつかない様子であった。

2

参集殿の一同は、子供捜しの集まりに来たことを、随分と後悔している様子だった。同部屋にいた者が、一人、また一人と死体になってしまったのだ。既に皆、大いに腰が引けている。

しかし二人目の死人が出て、岡っ引きからお調べを受けている最中とあっては、簡単に白加巳《しらかみ》神社を出ることもかなわない。ましてや今宵《こよい》はお福の通夜、明日はまた野辺送りであった。

参集殿の端の小部屋に呼びつけられ、坂上《さかうえ》の親分からお福のことを、根掘り葉掘り聞かれた後、誰もがくたびれた顔で大きな部屋の方へ帰って行く。

弓月も己の行動を大いに悔やんでいた。夢告《ゆめつげ》をやると、承知すべきではなかったのだ。いやそれよりも、初日にさっさと占いで新太郎を見つけ出してさえいれば、という考えが、どうしても心に浮かんでくる。そうすれば今日、この場に皆が残っていることはなかったはずだ。もちろん、お福も生きていたに違いない。

「はあっ……」

重く暗く、沼の底に沈んでいきそうなため息をつくと、小部屋で向かい合って座っていた岡っ引きが、湯飲みを手に取り口の端を皮肉っぽく歪《ゆが》めた。

「気分が滅入《めい》ってもくるよなあ。大金持ちの息子を捜すっていう、富くじみたいな集まりに来てみれば、次々と、人が殺されていくんだからな」

まるで他人事《ひとごと》のように言うのを聞きながら、弓月は眉根《まゆね》を寄せていた。皆が元の部屋に帰ったというのに、己一人、この小部屋に残るよう言われたわけが、よく分からない。お福について知っていることは、皆と一緒に全て話した。岡っ引きはこの上何を、弓月から聞こうと言うのだろう。

「お福さんは首を絞められて、殺されたという話でしたね。これから親分さんが、下手人を捕まえてくださるわけだ。なのに随分と気楽なご様子ですね」

「へっ、冗談はよしとくれな。まだ吉也《きちや》を斬り殺した者も捕まってないのに、また一人殺されたんだ。面目丸つぶれだわな」

話している間に、岡っ引きの顔がすっと厳しさを増した。弓月は一層居心地が悪くなり、袴《はかま》を握りしめる。

　ここで岡っ引きはわざとのように、先ほど皆と聞いた言葉を繰り返した。

「調べに困っているというのは、本当なんだ。下手人が、ただの辻斬《つじぎ》り、物盗《ものと》りのたぐいかどうかさえ、まだ分かっちゃいないからな」

　だがこの地は元々寺社方の管轄地で、どうにも勝手が違うと愚痴り出す。神官にしろ坊主にしろ、町方のお調べに慣れていないのか、埒《らち》があかないというのだ。ましてや大金持ちの札差《ふださし》ときたら、岡っ引きにとって厄介極まりないものらしい。

「つまりはそういうわけで……弓月さん、事を調べていくのに、あんたの協力があると助かるんだが」

　最後の方は、飼い猫の機嫌を取るような調子で、もの柔らかに言ってくる。しかしこの言葉に、弓月はのけぞった。

「ご冗談を！　私には親分さんのお手伝いなど、無理ですよ」

「大丈夫さ。何も下手人を引っ捕らえろ、などとは言っちゃいない。ただ皆がいる席で、俺の前では言わない話が出たら、ちょいと知らせてくれればと、そう言っているんだ」

「嫌ですよ、何で私に言うんですか」

　逃げ腰で断ったが、それで通るわけがない。

「あんたは神官で頼られる立場だが、ここの神社の者ではない。ちょうどいいんだよ。なんだい、お前さんはお上《かみ》に、いや相手が俺ならば構わないと、楯突《たてつ》く気かい」

「こんな話信行にしたら、ひっぱたかれます」

「今、あのしっかり者の弟はいない。自分で決めなきゃな」

(やっぱり、わざと信行を先に帰したね)

弟よりも簡単に使えると思われたわけだ。さっと強面《こわもて》に変わった顔で親分に睨《にら》まれ、怒鳴られ、弓月は太刀打ちできずに、結局無理にも助力を約束させられてしまった。岡っ引きは上機嫌、弓月は下唇を噛《か》みしめている。

(ちくしょう)

やっと部屋を出ていいと言われ、急いで障子を開けたところで、もう一度ぐっと唇を噛むと、つと振り向く。見下ろす恰好《かっこう》で岡っ引きと向き合いながら、弓月は一つの疑問を口にした。

「ところで親分さん、私には分からないことがあるんですが、聞いていいでしょうか」

「はて、何だい」

「吉也とお福、札差の跡取り捜しに来て殺されたんだから、こりゃあ、ただの辻斬りじゃあない。理由は青戸屋の金だ。親分さんはそう思っておいでじゃないんですか」

岡っ引きは黙ったまま、にやりと唇を歪めた。

「では、どうして殺されたのが、子供の方じゃないんでしょうね。肝心の跡取り候補は皆、まだ生き残っている。妙な話です」

開きかけた岡っ引きの口が、また閉じる。答えが出せずに黙った岡っ引きの様子をみて、少しばかりすっとすると、弓月はさっさと後ろ手に障子を閉めた。

回廊に出たところで、右手の廊下の角から、こちらを招く手が出ているのを見つけた。そそくさと向かうと、彰彦が眉尻《まゆじり》を下げ、意味深長な顔つきで部屋の陰に立っていた。招かれるままに西回廊の端にある部屋に入る。驚いたことに、そこに信行が待っていた。弟がぴしゃりと障子を閉める。弓月が蒼くなっている間に、彰彦が苦笑ぎみに話し出した。

「いやあ、とんだ頼まれ事をしましたね。あんなこと弓月さんは苦手でしょう？」

どうやってか、弓月と岡っ引きとの話を聞いていたらしかった。

「さっき親分さんは、兄さんだけ残れと言いました。だから様子を見てくださるようお願いしたんです。彰彦さんなら、この神社の内をうろついていても、おかしくないですからね」

弓月は顔を赤くした。一人になったからと心配されたのだ。これではどちらが兄だか分からない。その横で、彰彦が岡っ引きの意向を信行に話してゆく。気がついたときには、またもや右頰をひっぱたかれていた。

「信行！　気楽にぶたないでおくれ」

「どうして岡っ引きの手伝いなんか、承知したんです？　そんな話が伝わったら、誰もまともに口をきいてくれませんよ。皆、岡っ引きとの関わりを恐れています。何しろ二人も人が死んでいるんだから！」

「しょうがないですよ、信行さん。あの親分さんは、見かけよりも切れ者なんです。ここいらじゃ、一目も二目もおかれているお人でね。狙った相手を簡単には、逃がしはしないのです」

頑として断り続けたら、しょっぴかれたかもしれないと言われ、弓月は思わず背筋を正す。

「それにしても親分さんは、何を期待しているんだろうね。今までだって、皆知っているだけのことは喋《しゃべ》っているじゃないか」

「我らを疑っているんですよ。目の届かない夜中に、不埒《ふらち》な行いをしている者がいると、思ってるんじゃないですか」

彰彦が笑う。

「闇に紛れての悪行というわけです。丑《うし》の刻参りだってそうでしょう？　あれは人に見られちゃあ、いけないものだ。丑三つ時にこっそりと行うんです」

多くの神社で、頭に三本の蠟燭《ろうそく》を立てた鉄輪《かなわ》をかぶり、真夜中に釘《くぎ》打つ者がいた跡が見つかっている。岡っ引きの頭の中には、神社での密事《みそかごと》と言えば真夜中という印象があるのかもしれない。

「私は、早寝早起きの毎日なんだけどね」

白加巳神社には、そういう呪いを行う者がときどき来るらしい。倉の隅には幾つか鉄輪が転がっていると、彰彦がぺろりと言った。

「神社の内にそんなものがあったら、怖くありませんかね」

妙に話が逸《そ》れていく中、ついそう漏らした弓月は、また頭をはたかれてしまった。

「神官が鉄輪を怖がって、どうするんです！」

今日の弓月は何を言っても、叱られるようであった。

そのとき。

廊下を酷《ひど》く乱れた足音が通り抜けてゆく。

「おや、子供が走っているようだ」

さっと三人が部屋から顔を出すと、回廊に後ろ姿がある。

「清吉じゃないか」

彰彦の大きな声に、振り向いた清吉の顔が強《こわ》ばっている。

「ご、権宮司《ごんぐうじ》」

「どうしたんです？　誰かに何か言われたんですか？」

今、親のいない清吉は一人だ。信行の心配げな声に、清吉は思いも掛けない答えを返してきた。

「さっき下っぴきの源吉《げんきち》という人が、親分さんを捜しに来ました。暫《しばら》くして親分が皆のいる部屋においでになったと思ったら、青戸屋の旦那《だんな》さんが、お福さんを殺したんではないかと言いだして」

幸右衛門に優しくしてもらっていた清吉は、どうしていいか分からず、彰彦を呼びに来たらしい。一緒に部屋に戻りつつ、弓月もまた、不安を覚えずにはいられなかった。

3

一同が集まっている部屋に、坂上の親分が陣取っていた。

幸右衛門の様子はと見れば、落ち着いて懐手にしている。だが、隣にいるお栄は顔を赤くしていたし、部屋の内は何となくざわついていた。そこいらじゅうに、鋭い刺《とげ》が混じっているような感じがしていた。

「やれ、いきなりお福さんを殺したのかと、聞かれるとは驚きだ」

幸右衛門が口を開く。口調がやや、とんがっていた。

「だからねえ、俺の使っている下っぴきが、面白い話を拾ってきたんだよ。いや、亡くなったお福さんが、あんたの妾《めかけ》だったとは驚いた」

岡っ引きのその言葉にびくりと動いたのは、幸右衛門ではなく妻のお栄の方だ。

「私を探っていたんですか」

当人は少しばかり目を細めると、声を低くして岡っ引きに言い返す。

「親分さん。調べたというのなら、お福が私の妾だったのは、もう随分と前のことだって、知っていなさるはずでしょう？　終わった話をここで蒸し返されたら、わたしゃあ面白くない。それと分かって、ずけずけと喋っているのかい？」

「おやあ、では、本当にお福は青戸屋さんの元妾に、間違いないんですね」

魚を釣り上げたときのような岡っ引きの様子に、幸右衛門はぐっと目つきを鋭くした。お上の御用を勤めていると思うから、幸右衛門は岡っ引きを、日ごろ立ててはいる。だが商人ながらも、お大尽と呼ばれる札差だ。身分のある武家の知り人も、っても山のようにあるのは確かで、弓月は睨み返された坂上の親分が心配になってくる。

しかし、そこは彰彦に切れ者と言われた岡っ引きだった。にたりと笑うと、その笑顔を幸右衛門の目の前にずいっと差し出した。

「ご機嫌悪そうですね。そいつは済まないこって。しかしねえ青戸屋さん、これは人殺しのお調べなんだ」

いいですかいと、どすの利いた声で幸右衛門に迫る。

「もし青戸屋さんが二人を殺していれば、たとえ札差《ふださし》だろうと、その店は取り潰《つぶ》しだぁね」

正面からはっきりと言い返されて、幸右衛門は寸の間目をしばたたかせていた。だが、すぐにはっきりとした笑みを浮かべる。

「おお、これはこれは失礼しました。それで？　親分さんに、私は何をお答えすればいいんでしょうかね。お福を殺しちゃあいないんですがね」

彰彦が音もなく、言い合っている二人から少し離れて座った。弓月たちもそれに倣う。清吉は心配げだったが、さすがは札差、岡っ引きとやりあうのに、神官の援助はいらぬ様子であった。

「じゃあ青戸屋さん、まずは確かめたいんだが……おかみさんの前だがね、お福さんを囲っていたのは、本当として……もう切れていなさるんだよね？」

このときばかりは真っ直ぐ岡っ引きの方を向いたきり、妻の顔を見もせず、幸右衛門は答えを返す。

「確かに。三年ばかりも縁があったでしょうかね、だが新太郎が生まれる前に、切れましたよ」

「お福さんはいい女だった。おかげで弟子も多かったという話だ。何で別れたんだい？」

余計なお世話と言いたいところだろうが、岡っ引きは喧嘩《けんか》別れなのかどうかを知りたいのだろう。幸右衛門は、少しばかり笑うような口元を作った。

「男と女のことですよ。どうにもならなくなるのは、珍しくもない。ただ、離れたんで」

潮時が来たのだという。

「お福さんは子供を連れて、この神社に来ていたね。正五郎さんだっけ。その子は他の旦那の子かい？　青戸屋さんの子かい？　それとも本当に新太郎さんを拾っていたのかい？」

もし正五郎が新太郎なら青戸屋の子と分かっていて、わざと黙って育てていたのかもしれない。幸右衛門は岡っ引きに向かって、小さくため息をついた。

「今となっては、もう分からないでしょう。お福は死んでしまった。何も言い残さずにね」

「本当に、そうなのかね？　お福さんは正五郎さんが跡取りだと、盛んに言っていたそうじゃないか。もしかしたら、こっそりこう言ったりしなかったかい。正五郎さんは新太郎さんじゃないが、幸右衛門さんの子には違いない。店に迎えてくれまいか、と」

突然、ふふっと幸右衛門が笑い出した。岡っ引きが鼻白む。幸右衛門はずいと岡っ引きの方へにじり寄ると、膝《ひざ》を立て、少しばかり岡っ引きを見下ろした。

大人の男同士、殴り合ってもいないのに、ぶつかる音が聞こえてくるようだった。

「馬鹿言ってんじゃないよ。もうちっと考えてから、ものを言っておくれ」

言い方が妙に伝法《でんぽう》になっている。

「お栄の手前口にはしなかったが、この神社で会ったとき、お福の顔はすぐに分かったよ。あの女が青戸屋の跡取りは己が育てている子だと、名乗ってくるとは意外だったがね」

だが少なくとも、幸右衛門はお福と己の間に、子はいないという。

「我が子が生まれていたら、放っておいたりしないよ」

「じゃあお前さんは、お福さんとの間に子ができていたら、どうする気だったんですか？うちに引き取ってくれと、あたしに泣きついたのかしら。それとも青戸屋を捨てて、あの人のところへ走ったのかねえ」

急に、お栄のきつい声がした。案の定と言うべきか、隣に座ったおかみの顔つきが、険のあるものになっている。

「馬鹿なことを。単に捨てたりはしなかったと言っただけさね」

「お福さんは、お前さんに大層ご執心だったじゃないか。いかにも当然という感じでしたよ。今でもまだ、会ったりしてたんですか」

「お栄！」

お調べなぞそっちのけという感じで、夫婦の言い合いになってきて、はじき出された感じの親分は、うなり声をあげている。彰彦がうっすらとした笑いを唇に浮かべて首を振った。

「無理ですよ親分さん。青戸屋さんがお福さんを昔知っていたからって、殺したっていう証《あかし》にはなりません。そんな理由で青戸屋さんを番屋に引っ張っても、あとで揉《も》めるだけですよ」

「けっ。この集まりを開くにあたっても、青戸屋から神社の方へ、大枚の謝礼が約束されているんだろうね。金主が捕まってお上に何もかも没収されては、かなわないっていうところかい？」

この話に、弓月が隣から泣き言を挟んだ。

「そ、そりゃあうちの神社は、雨漏りを直す金子《きんす》をいただければとは思ってますが……早く直さないとまずいんですよ」

「何だ、そりゃあ。神社の雨漏り？」

入り用な金額を聞いて、岡っ引きはため息をついた。

「神社といっても、皆裕福っていうわけじゃないみたいだな」

それからちらりと青戸屋に目をやり、立ち上がる。だが十手に手を伸ばしはしなかった。相手が札差であれば、認めていない罪で簡単にしょっぴくわけにはいかないとみえる。

「仕方ねえ。一旦《いったん》休むかの」

渋々といった感じで、やっと腰を上げた姿が回廊に消えると、どっと疲れが湧き出してきた様子で皆、息をついている。青戸屋の夫婦喧嘩も、長続きせずに終わっていた。

(吉也の葬儀の後だ。疲れているんだねえ)

騒ぎが続く中、今のところは気が張っているが、これからまたお福の通夜だ。だがさすがに、ずっと起きているのは苦しい。彰彦が気を回してくれて、準備を白加巳神社の方で受け持ってもらい、皆は短い間でもひと寝入りすることになった。参集殿の部屋でごろ寝を決め込むと、早々に部屋は静かになった。


(あれ……まあ)

気がつけば、弓月は奇妙にはっきりとした夢の内にいた。また、夢告《ゆめつげ》に取り込まれているのかもしれない。今日は少しの間しか眠れないことが分かっていたので、くたびれる夢を見てしまったことに、泣きたいような思いがあった。

(ここはどこなんだろうね)

焼け野原ではない。落ちてゆく子供もいない。空から降ってくる血もなく、弓月はただ、ひっそりとした部屋の内にいた。薄暗い板間には見覚えがない。

目が慣れてくると己の居る場所の隣が、座敷牢《ろう》になっているのが分かった。おどろおどろしい感じはないが、それでも格子があって鍵《かぎ》が取り付けられており、弓月が中に入れないのは事実だった。

（誰かいるよ）

牢の内に男が一人座っている。暫《しばら》くすると、更に三名ほども人がいるのが分かった。その者たちは立っている。

（こんなに沢山人がいたのに、何で今まで気がつかなかったんだろうね）

そのとき不意に、座っている者の顔が見えた。なんと馴染《なじ》みの岡っ引きだ。こんなところで取り調べでもしているのだろうか。

（誰を？）

もしかしたら、吉也とお福を殺した下手人を捕まえたのかもしれない。横にいるのがその者なのだろうか。弓月は都合良くも、下手人が捕まる場面の夢を見ることができたのだろうか。

（そうなら役に立つこと請け合いだよ。下手人の名や顔が分かれば、親分さんはお調べがしやすくなるだろう）

はっきりと見ようと、座敷牢の格子にぴたりと顔を付けた。分かるのは岡っ引きの顔だけで、あとの者は背を向けていて、誰だか分からない。しかし、袴姿《はかますがた》であった。やはり下手人は浪人者のようだ。

そう思ったとき、浪人の手が真っ直ぐに横に差し出される。刀が握られているのが分かって驚く。刃物を取り上げられていなかったのだ。

（あれ、この男たちは下手人ではなかったのかな）

親分は刀の前でただ、座っている。話でも聞いている最中であったかと思い始めていたとき、突然浪人の手が動いた。

「あっ！」

弓月の声に引かれたかのように、塊がこちらに飛んでくる。眼前で格子にぶつかり、意外と柔らかい音を立てて落ちた。

見て、それが何かが分かって、腰が抜け座り込んだ。

「ひっ、お、親分さん……」

落ちている。斬られた首が、格子のすぐ内側に落ちている。弓月の全身は、飛び散ってきた岡っ引きの血に塗《まみ》れていた。

（な、何で……。私よりよっぽど抜かりがなくて、腕っ節も確かな親分さんが……）

刀を持ったまま、人影が近づいてきたが、立ち上がることができない。ほんの一尺ほど先に立たれても、まだ動けなかった。

（こっ、殺される。私も殺されるよっ）

不可思議なことに、弓月は相手の顔をはっきり見ることができなかった。浪士も、何故だか弓月の方を見もせず、首を拾い岡っ引きの体を抱えて、部屋から出てゆく。

「土塀脇を流れる堀川に流しちまえ。あの流れは少し先で大川にそそぎ込む。野郎の仏なんぞ流れてきても、誰もすくい上げなぞしない。海に消えるさ」

低い声が聞こえてくる。

(川に……親分さんが川に……)

どうしたらいいのだろう。胸が苦しかった。唇を噛《か》みしめる。三人の浪士を止める力は、弓月にはない。しかし斬られたあげく、このまま川に流されてしまうのは、余りというものではないか。

(助けて……)

誰か助けて。誰か、誰かだれかだれかだれかああああっ。

(誰か助けておくれっ……)

気がついたときには、とんでもない悲鳴をあげて、部屋中の皆を起こしてしまっていた。

「……兄さん」

隣で起き出した信行に睨《にら》まれる。ただどうしたことか、すぐにその顔が心配げなものに変わった。

「どうしたんです？　その血」

言われて己の着物を見て、弓月は息を呑《の》んだ。寝ている間に唇を噛んでしまったのか、白い布地の上に、点々と赤いものが散っている。岡っ引きの首が振りまいた血の粒を思いだして、寸の間吐きそうになる。

「いや、その、怖い夢を見た気がするんだが」

信行は一応頷《うなず》いた。普段夢告はわけの分からないものや、すぐに消えてしまうものが多いからだ。しかし……。

(見えすぎだよ、これは)

夢告で見たからといって、必ずその出来事が起こるとは限らない。もしかしたら来るかもしれない、明日の一つに過ぎないのだ。

(しかし、『見えた』ということは、『起こる場合が多いこと』に、間違いない)

どうしてあんな夢を見たのかも分からないまま、弓月は体をぶるりと震わせた。こちらを見ている部屋中の目に気がついて、慌てて起こしてしまったのを謝っているうちに、起きる時間だと言いに来てくれた神官姿が、はや障子に映っていた。

4

(どうしよう……親分さんのこと、どうしたらいいんだろう)

弓月はお福の通夜の席でも、ずっと頭を抱えていた。今まで不吉な夢や血塗れの場面を、夢告で見たことはあった。しかし殺されたのが己ではなく、他人だったのは初めての体験だ。

昨日の今日であるせいか、通夜の支度も皆の対応も、妙に手慣れている。神宮寺の一室に作られた祭壇も、周りに漂う線香の臭いも昨日そのままで、まるで一日戻ってしまったみたいな不思議な感があった。

親を亡くした二人の子供は、青戸屋夫婦が面倒を見ていた。子供を捜してこの神社に乗り込んできたお栄は、何となく嬉《うれ》しそうに世話を焼いている。ただ、今も一人で色々と雑事をしてくれているのか、彰彦の顔が見えないだけだ。

(でも、何もかも同じじゃないよ。一日前なら、親分さんのことで悩んじゃいなかった)

執行《しゅぎょう》が来て奇妙に力強いお経を唱えている間も、ずっと考え続けたが、対応策が見えてこない。執行は驚くほどさっさと読経《どきょう》を済ませると、酷《ひど》く短い話をして、部屋から出て行ってしまった。彰彦も退席したが今の弓月には、その様子を気に掛ける余裕がない。

(私がやりようを誤ったら、親分さんの身が危ないかもしれない)

歯を食いしばって考え続けた。目の前にある棺桶《かんおけ》を睨み付ける。下手をしたらあの中に、今度は親分が入ることになるのだ。

(三回目の通夜をここでするなんて、ごめんだよ)

「どうしたね、弓月禰宜《ねぎ》」

突然ぽんと肩を叩《たた》かれ、心の臓が喉元《のどもと》に浮き上がった。肩越しに、後ろをそろりそろりと見る。岡っ引きが弓月の後ろに立っていた!

(死体だよっ。くっ、首のない……)

　思わず腰が浮いた。

　だが通夜の参列者一同の前に、のこのこ幽霊が現れたはずもない。二本足の付いた、まだ死んではいない男が、しゃんとした様子で立っているだけだった。どちらかといえば、死体に顔色が近いのは弓月の方かもしれない。

(ああ……お化けじゃない……)

　ほっと小さく息をつく様子を、岡っ引きが首を傾げつつ見ている。今は下っぴきを連れておらず、一人のようだ。

「親分さんは、先ほど帰られたと思ってましたよ」

「お前さんたちにしてみれば、もう殺しの話は沢山というところだろう。だが、まだ下手人は捕まっちゃあいないんでね」

　先刻一旦《いったん》話を終わらせた後、親分は神宮寺の玄海執行や他の神官たちに、聞き取りの矛先を向けていたらしい。その後、通夜の席に顔を見せたようだ。

(どうりでさっきの執行様のお経、変わっていたわけだよ。ありゃあ、怒っていらしたのかね)

　あの玄海執行が、知りもしないお福のことを聞かれて、素直に答えていたとも思えない。

だが坂上の親分なら、怒鳴られようが嫌みを言われようが、聞きたいことは聞いただろう。天敵同士と言うべきか、お互い相手を好もしく思っていないこと請け合いだ。

「今日の通夜には、俺もいることにするよ。朝まで一緒にいれば、色々皆さんに聞く暇もあろうってもんだ」

そう言って岡っ引きは、どかりと弓月の横に座り込む。寝不足で疲れぎみの一同は、また同じ話を聞かれると分かってか、うんざりとした表情を浮かべている。

そこへ、場違いなほど緊張した声が、部屋の中に流れた。

「親分さん、お願いです。今日はお帰りになってください」

弓月は緊張で声を震わせていた。どう言えば岡っ引きが納得してくれるか、分からなかったからだ。ただ、このまま一晩同じ部屋に居てはいけない気がする。強く、強くそう感じていた。

「しかも、なるたけ早くに帰った方が良い。お願いですから」

懇願するように言った。しかし、ではそれじゃあと親分が帰るはずもなかった。

「いやあ、参ったね。弓月さん、俺がいては、なんぞ都合が悪いのかい？」

面白そうに唇を歪《ゆが》めている。またお福の話を聞かれるのが嫌で、皆に追い払ってくれと、頼まれたとでも考えているのかもしれない。それとも、親分への協力を嫌っての言葉だと思ったか。

（言い方がまずかったかね。最初から夢の話をしておくべきだった）

とにかく何としても分かってもらわなくてはならない。岡っ引きの顔を覗《のぞ》き込むと、弓月は必死に先の夢の話を切り出した。

「親分さん、驚かないでくださいよ。実は……私は夢告《ゆめつげ》を繰り返すのが、得意ではないんです」

「おや、そうなのかい」

岡っ引きが、きょとんと目を見開いている。

「何度も続けて行うと、段々に夢の中に引きずり込まれる感じがして来ましてね。白昼夢を見たり、夜寝ているときに見る夢が、夢占いのようになってしまったりするんです」

これは初耳のせいか、部屋の中の皆も聞き耳を立てている。弓月は先ほど見た不吉な夢を、細かく語った。

このままじゃ、岡っ引きの首が斬られて飛ぶんだ、と。

「だから……大急ぎで、この神社から帰ってください。何もお調べをしないでくれとは言いません。ただここへ来るときは、昼間の内に、同心の旦那《だんな》方や子分さん方と一緒に、おいでになった方が良い」

真面目な言い方に、一寸《ちょっと》、岡っ引きは言葉を失ったかのようだった。少し、ほんの少しだけ、唇が震える。だが、すぐに大きくにたりと笑った。

「いや、これはうまいやり方だ。命が危ないときたか。俺の身を案じてくれているんだよなあ。うん、そうなんだろう？　でも俺としちゃあ、今夜、俺がいない間に口裏合わせをされちゃあ、面白くないんだよなあ」

「口裏合わせをするんだったら、もうとっくにやっていますよ！」

「いやいや、弓月禰宜、お前さんは俺がもう帰ったと思っていた。やりそびれていたことが、あったのかもしれないさ」

そう言うと岡っ引きは、すぐ嚙《か》みつけるほど近くで、もう一度大きく笑う。それからふいと視線を外すと、もうこの話は終わりだとばかりに祭壇の前に行って、お福に焼香し始めた。弓月は唇を嚙みしめる。

（やり損ねた。信じてもらえなかった）

部屋の内の皆も、興味深く弓月の言葉を聞いてはいたが、血相変えて親分に帰宅を急《せ》かした者はいない。今までの占いの結果に、納得していないからだろう。

（このままただ、占いが外れることを祈るしかないのか）

先のことには、色々な可能性がある。もしかしたら岡っ引きは、何事もなかったかのように、明日を過ごすかもしれない。弓月が見るのは、様々な可能性なのだ。

（ただ、嫌な感じが消えないんだよ）

余りにも生々しかった。そういう夢ほど、実際に起こりやすい。今までの経験から分かっていた。

「兄さん……今の話、本当ですか？」

信行が横に座ると、不安げな顔で聞いてくる。弓月の夢告が、厄介なものであることを一番知っている弟は、大いに動揺している様子だ。

「とにかく、帰らないと親分さんがおっしゃるんなら、あとは我々と一緒にいてもらうしかないね。それなら、危ないこともないだろうさ」

そう言うと、信行の方は少しほっとした様子だった。だが当の弓月は、己の言葉を大いに疑っていた。

（本当に、一緒にいれば大丈夫なのかね？）

参集殿の集まりに出た者で、今まで無事に帰れた者は一人もいないのだ。誰も生きて白加巳神社を出て行けていない。何となく、ここに居続けることになってしまっている。

（私たちは、ちゃんとここから帰れるんだろうか）

不意に不安が浮かんできた。そんなこと、今までは考えたこともなかったが……。

（馬鹿なことを思うんじゃないよ。帰れない理由なぞ、一つもないじゃないか）

そう思う端から、不安が体の内にはびこってゆく。不吉な思いに、まさか今このとき、夢の内にいるのではないかと思って、急いで周りを見回した。弟がこちらを見ているのが分かって、ほっと息をつく。

だが不安そのものは、去ってはくれなかった。

5

「兄さん、本当にこんな馬鹿なことをやるんですか?」

信行の呆《あき》れた声を聞き流しながら、月光の下、弓月は白加巳神社の境内を歩いていた。無事に境内から外へ出られるかどうかを、試すつもりだった。

そのことを目的に、通夜の席を抜け出して来たのだ。つまり何をするかというと、ただ鳥居から出て小半時《こはんとき》も外を歩いてこようという計画だ。

部屋から出るときは、この他出が皆の生き死にを分けるかのようで、気持ちが随分と尖《とが》っていた。だがこうして外に来てみれば、いつもの夜があるばかり。静けさの中を歩いていると、どんどん気持ちが落ち着いていく。

「要するに月夜の散歩にしか見えませんが。お通夜だというのに、何だか気が引けますよ」

「だから信行、お前さんは残っていても良かったんだよ。ただ歩くだけだ。助けは要らないはずだからね」

弓月の言葉に、しっかり者の弟はきっぱりと首を振る。

「一人で行っちゃあ駄目ですよ。何でもないことのはずなのに、とんだ騒ぎにしかねませんからね、兄さんは」

「いくら何でも、そりゃあないだろう」

文句を言っても、離れる様子はない。

（まあ、いいか）

お福には悪いが、通夜も二日続けてとなれば、思わず居眠りをしかねない。弟にしても息抜きが必要だ。

二人は神宮寺から出た後、ゆるゆると西に歩いて、東殿と庁屋の間を抜けた。藤棚の横を抜け参道に出たところで、右手の方に狛犬《こまいぬ》の顔がおぼろげに見えたのは、拝殿に御神灯が灯《とも》されているからだろう。左に曲がって大きな灯籠《とうろう》が立ち並ぶ中、参道を歩んでゆく。

「いい月ですねえ。満月だったら、なおのこと良かったのに」

信行が空を見ながら、ゆったりとした声を出す。星は天に数多の螢がいるかのように光り、瞬いている。そのとき信行が、前を行っていた弓月の背中にぶつかってきた。こちらが唐突に足を止めたからだ。

「うわっ。兄さん、急に止まらないでくださいよ」

黙って弟の腕を掴《つか》んだ。信行が口をつぐむ。すぐに弓月と同じ方向に、目を向けたのが分かる。

「灯籠のところだ。一番遠いところの左側」

小声でささやいたとき、また何かが動くのが見て取れた。信行が体を硬くする。

(誰かいるよ。こんな夜に、どうして境内にいるのやら)

丑の刻参りならば、あんな正面の神門近くで佇《たたず》んでいるはずはない。もちろん所用がある神官かもしれない。しかしもしもそうなら、白加巳神社では権禰宜《ごんねぎ》から宮司《ぐうじ》まで、普段の着物は白だったから、月下ではもっと、はっきり見えるはずだ。

(まさか玄海執行様じゃあ、あるまい)

他出するのなら、神宮寺からわざわざ神社の境内に来るのは、大いに回り道になる。まさか見慣れた神社内を、夜散歩しているわけでもないだろう。

神官でも社僧でもないとすれば、思いだすのは、二度も襲われた経験だ。

(浪士……)

体が動かなかった。あの一番端の灯籠のところまで行って、確かめたいという気持ちは、もちろんある。本当にあれは辻《つじ》斬《ぎ》りなのだろうか。以前に自分を襲った奴か。気づかぬふりで、弓月たちが外へ出ようとしたら、あやつは斬り掛かってくるであろうか。

だが……。

(斬られる。血で、ずぶ濡《ぬ》れになる!)

体験と予感が、足を引き留める。弟が一緒であれば、なおのこと無茶はできない。

「裏参道の方へ回ろう」

小声でそう言うと、信行が寸の間たじろいだ。

「あれが何か、知りたくはないのですか？」

「命がけでは、探りたくないね。今は外へ出られることが分かればいい。たまたま……浪士が入り込んでいるだけかもしれない」

二人は月下に見えている鳥居に背を向けて、拝殿の方へ歩き出した。

「あいつがいたのは……本当に偶然なのでしょうか」

信行の問いには、答えようがなかった。何故だか足早に狛犬の脇を抜け、本殿を囲む瑞《みず》垣《がき》沿いに歩く。東殿の向かいに差し掛かったところで左に曲がると、あとは真っ直ぐ北の小さな鳥居を目指す。

（もうすぐ、裏参道へ出る）

右手にある氏子神輿庫《みこしぐら》にも御神灯が掛かっていて、参道入り口の鳥居の姿を、夜目にぼんやりと見せていた。

「あと少し」

そのとき、二人の足が止まった。

「神輿庫の陰に、誰かいる……」

闇に紛れそうな動きが目に入ったのは、小さな御神灯の明かりのおかげだ。

境内でもこの辺りは、どう考えてもおよそ、夜の散策とは無縁に思える場所だった。桜の咲いている春ならばともかく、裏参道へ行くのに通る以外に、用はないだろう。

普通の者ならば、だ。

暫《しばら》く立ち止まっていたが、二人に親しげな声を掛けてくる者はいなかった。つまり、近くにいるのは、他の神官ではない。

(でもここは……辻斬りが獲物を待ち構えるような場所じゃないのに)

なのに確かに殺気と共に、誰かが闇の中で待ち構えていたのだ。

「東門へ回ろう。ここからなら遠くないから」

弓月がさっと、行く先を変える。今度は信行も声がない。葉桜の横を過ぎ、うっそうと茂った大きな木々の下を抜ける。足元が月の光を撥《は》ね返している。塀の間際に池が見えている。二人の足が、また止まった。

「なんてこった……」

先の方に、小さな明かりが浮いていた。あの辺りがちょうど東門だろうか。高さからすると、誰ぞが持っている提灯《ちょうちん》の光かもしれない。しばらく見ていたが、明かりは一点に留《とど》まって動かない。あれは急用で東門を行く、神官の物ではないのだ。

ひやりとする危うさを感じていた。

(こっちが提灯を持っていなくて、助かった……)

足音を立てないよう静かに向きを変え、その場から離れると、弟も用心深く後をついてきた。

「兄さん、白加巳神社にある門は、幾つか分かっていますか?」

「東西南北にはあるはずだよ。周りは土塀や石垣で、ぐるりと囲まれている。これだけ広いんだから、もちろん低くなっているところも、あるはずだが」

しばし歩いた後で、信行が口を開いた。だがどうやら浪士たちは、客である弓月らよりもこの社に詳しい気がする。二人は拝殿前を突っ切ると、手水舎《ちょうずや》の後ろから回り込むようにして、西側に抜けた。大銀杏《おおいちょう》の脇を通り西回廊側を歩いて、やっと西門の方へ出る。それから暫くの間、二人は何とはなしに黙ってしまった。

西門の近くにも沢山の大きな木立が、競うように立っている。その暗さの中に踏み込んだ。ほどなく……肌が粟立《あわだ》つような思いにかられた。

(見られている!)

間違いない。誰かが近くにいるのだ!

(昼間ならば吃驚《びっくり》して、腰を抜かすほど側に……いる!)

叫び出さないのがやっとだった。こちらが気がついたと知れば、向こうも行動を起こす。そんな気がする。こうなったら眠気覚ましの夜の散歩に見せて、不自然ではないように戻らなくてはならない。

突然、大声で笑い出したいような誘惑にかられた。緊張がすぎて、破れかぶれの気分が喉元《のどもと》にまでこみ上げてきているのだ。己を抑え込めたのは、弟が側にいたからだ。何があっても、あの凄惨《せいさん》な夢に信行まで引きずり込むつもりはなかった。

（ゆっくりとした歩みで、神宮寺へ帰らなくては）

それから岡っ引きを呼び出して、今のにっちもさっちもいかなくなっている現状を、告げなくてはならない。下っぴき代わりの働きなぞする気もなかったのに、さっそく働いているというわけだ。

（さりげなく……どうにかして普通に）

西回廊の裏手まで戻る。大丈夫、もう恐ろしげな者に、話を聞かれる気遣いはないという場所にまで来たとき、信行がやっと口を開いた。それでも声は小さい。

「兄さん……さっきの西門で感じた殺気は、辻斬りのものだと思いませんか」

「西門だけじゃないだろう。今回った全ての門だって、そうさね。多分、崩れたりしている乗り越えやすい塀の間際にも、誰か待ち構えているのかもな」

「……私たちを、外へは出さない気なんでしょうか」

信行の声が震えている。そのときはっと息を呑《の》んだ。

「吉也さん、一旦《いったん》家に帰ろうとしたんですよね。お福さんもきっとそうだ」

それが斬られた理由なのだろうか。知らぬ間に出来ていた必殺の蜘蛛《くも》の巣だ。二人はそこに飛び込んで、命を落としたに違いない。

（だが、そんなことをしたい理由は何なんだい？）

考えなくてはならない。何故我々がここにいなくてはならないのか。

弓月たちは見えてきた回廊の明かりを頼りに、皆のいる神宮寺への道を急いだ。

第五章

1

「親分さんが、どこかへ出て行ってしまった？　いつの話ですか？」

通夜の席に戻ってみると、岡っ引きの姿が消えていた。

せっせと皆の話を聞いていると思っていたのに、部屋にいたのは青戸屋《あおとや》夫婦と三人の子供、あとは竹之助《たけのすけ》だけであった。ちょいと外を歩いてくると言っていたそうだが、いつからいないのか、誰もはっきりとは覚えていない。信行《のぶゆき》が不安げな声を出した。

「兄さん、急いで親分さんを捜しに行った方が、良くありませんかね」

「……そうだね」

二人が蒼《あお》い顔をして話しているので、通夜の席の者たちは不安げに顔を見合わせた。

「何かあったんですか？」

その問いに、弓月《ゆづき》は白加巳《しらかみ》神社の四方の門に、浪士が張り付いているらしいことを伝えた。

青戸屋夫婦の顔色が、すっと変わった。子供らは声もない。真っ先に口を開いた幸右衛《こうえ》門《もん》の言葉が、皆の内なる不安を述べていた。

「浪士たちが……この神社内に、何人もいるんだね。そいつらが、各門に陣取っている。だから出たくとも、外へは出られないわけだ。どこからも」

「そうです」

岡っ引きらが耳に挟んだという噂には、真実が含まれていたらしい。頻発する辻斬《つじぎ》り。寺社の広い境内は、根城にされていたのだ。吉也たちも浪士に殺されたのかもしれないと言うと、一同は黙り込んだ。

「我らもここから出ようとすると、辻斬りに斬られてしまうわけか」

「もしかしたら」

「何故だね？」

それは弓月の方が聞きたいことだ。物盗《ものと》り目当てに道で襲われたのなら、驚きはしない。たまたま神社の門前で、辻斬りに出くわすことだとてあるだろう。

しかし。わざわざ四つの門に人を配して、参集殿に集まった客たちが、神社から抜け出さないようにするわけとは、何なのだろう。

「分かりません……金でしょうか」

それが思いつく、精一杯だ。だがその考えには、お栄《えい》が眉《まゆ》をひそめている。

「そりゃあ金目当てなら、理由としては納得できますけどね。狙うなら青戸屋でしょう。でもあたしたちは今、大枚と言えるほど持ってはいないんですよ」

幸右衛門が首を振った。

「神社の庁屋《ちょうのや》にある金を奪うならともかく、どうしてこの集まりに来た者たちまで、斬らなくっちゃならないんだろうね」

既に二人も死人が出ていて、神社には町方まで乗り込んできている。浪士たちにとって、この神社は物騒な場所に化けているはずだ。

なのに、それでもまだ諦《あきら》めず、ここにいる。

夜のうちに仲間で参集殿を襲撃し、客らをまとめて始末した上で、金品を取りあげるといったこともしていない。白加巳神社へ来る途中の道で、問答無用で襲われた経験に引き比べ、驚くほど腰を据えた行動だ。

皆が厳しい表情を浮かべている。弓月がそこで軽く咳払《せきばら》いをした。

「とにかくまず、親分さんを見つけなくては」

本来なら、皆で外に飛び出すところだ。しかし人殺しが近くにいるとなれば、子供たちは行かせられない。子らだけ残すわけにはいかないから、結局青戸屋夫婦には部屋に残ってもらい、弓月たちと竹之助が出ることになった。通夜のはずが、何ともせわしない。

「では我々は、裏参道辺りから西門へと回ってみます」

「私は正面鳥居の方へ」

「人殺しが思わぬところにいるかもしれません。竹之助さん、お気をつけて」

神宮寺から、再び月の下に出ていく。心地よい夜はあくまでも静かで、人一人呑《の》み込んでしまうようには、とても見えない。

三人は足早に境内に散った。

月の光は清浄として、星の瞬きすら聞こえてきそうな、そんな静けさだった。

闇の内に、岡っ引きの姿はない。闇に溶け、水にでも流れてしまったかのようだ。

「親分さんは行き方知れず。私たちは神社から外へ出られない。これからどうなるのやら……」

信行が小声で言いつつ、緊張した眼差《まなざ》しを暗闇に向けている。今にも浪士が飛び出してきそうで、怖いのかもしれない。

「確かに皆でこの神社を抜け出る手立てを、早く見つけないといけないね」

そうしなければ、また誰かが犠牲者となりかねない。どうすればよいのか。風にざわめく木の横を歩きながら、弓月は眉間《みけん》に皺《しわ》を寄せた。

半時ほど捜しても岡っ引きは見つけられなかった。仕方なく一旦《いったん》神宮寺に戻ると、まだ捜してくれているのか、竹之助の姿がない。通夜の席の者たちは不安げな様子だ。

「幸右衛門さん、他の皆さんも、ちょいといいですか」

道々弟と話し合っているうち、思いついたことがあった。時間がない。すぐに聞いて欲しかった。何事かと、お栄と子らが寄ってくる。

「親分さんの行方はまだ知れないが……夜が明ける前に、話しておきたいことができまして。今日は通夜、明日はお福《ふく》さんの野辺送りです。菩提寺《ぼだいじ》は、ここから少しばかり離れているんだったね？」

急に話を振られ、正五郎《しょうごろう》が顔をやや赤くして頷《うなず》いている。緊張しているが、答えられることだったので、ほっとしている様子だ。

「野辺送りのときに、神社から逃げ出そうと思うんです。唯一の機会になるかもしれません。人も集まるし、堂々とこの神社を出られるはずです。まだ新太郎《しんたろう》さん捜しも途中だし、本当なら寺からここに皆で戻って来るところだ。ですが明日は、どんなに不義理と言われようが、途中で野辺送りから抜け出してください」

「埋葬後、白加巳神社に戻らずに、家に帰ってしまえということですね」

青戸屋夫婦が、さっと顔を明るくした。弓月は首を横に振る。

「いいえ。墓地へ着いたら、埋めている間にそれとなく浪士に囲まれてしまい、ここへ連れ戻されてしまうかもしれません。狙いは行き、です。とにかく青戸屋さん方は、菩提寺へ行きつく前に、店に逃げ帰ってください。そして子供たちだけは皆、連れて行っていただきたい」

「わ、私も青戸屋に行くのですか？　父は？」

伊之助《いのすけ》が驚いたような声をあげている。弓月がきっぱりと頷いた。

「伊之助さんが残っていたら、お前さんを盾に、青戸屋さんが脅されるかもしれないでしょう？　まだ、跡取りの新太郎さんが誰だか、はっきりしていないんだから」

なに、お父上は武士なのだし大丈夫、葬儀が終わったら青戸屋に行ってもらうからと言うと、伊之助はほっとした顔になる。

「弓月さんたちは、どうするのですか？　一緒に逃げないんですか」

清吉《せいきち》が気遣わしげに聞いてくる。

「白加巳神社は手伝いをよこしてくれるだろうけど、全員で野辺送りを放り出すわけにはいかないし。ちゃんとお福さんを埋葬しなくちゃね。それにまだ親分さんが見つからない。行方が分からないままじゃ、どうにも落ち着かない話だ。もう一度顔を見ておかないと」

自分たちだけは白加巳神社に引き返してきて、岡っ引きの行方を確かめるつもりだった。そうでなくては、坂上《さかうえ》の親分は神隠しにあったと言われかねない。

「大丈夫だよ。彰彦《あきひこ》さんたちにもお願いして、協力してもらうからね。青戸屋さんたちがここから帰ってしまえば、お役人が出入りしているような神社からは、浪士たちも消えるかもしれない」

そういえば忙しいのか、しばらく彰彦と話をしていなかった。通夜の席には来ていたが、読経《どきょう》が終わると玄海執行と共に、退席してしまっている。

行灯《あんどん》の明かりの下でも、彰彦の顔色があまり良くないのが分かった。招いた客が次々に亡くなったので、休む暇もないのに違いない。

（この上負担をかけるのは、申し訳ないんだが……）

それでも岡っ引きを三人目の亡者にはしたくない。できるだけ、手を打たなければならなかった。そこへ、ぶつぶつとこぼしながら、竹之助が戻ってくる。

「駄目だった……」

手がかり一つなかったらしく、厳しい顔つきを浮かべて、すぐにどかりと部屋の端に座り込む。

「ごくろうさまで」

そう声を掛けた後、弓月は立ち上がった。

「私たちはもう一度、親分さんを捜しに行ってきます。朝までに見つかれば、一緒に逃げられますからね」

「一緒に逃げる？　神官さん方、なんぞやる気なのかい？」

突然の話に、竹之助が驚いた顔をしている。私たちが子細を話しておきましょうと、幸右衛門が請け合ってくれたので、兄弟はまた境内へ出て行った。

2

「兄さん、親分さんは、どこへ消えたんだと思いますか」

　夜の中、手水舎《ちょうずや》の陰で一休みしたとき、信行が話しかけてきた。

もう一時《いっとき》近くも捜しただろうか。これだけ歩き回って出くわさないのだから、少なくとも岡っ引きは、広い境内の内で迷っているわけではなさそうだ。

「つまりなあ、私たちが見たあの物騒な奴と出会ったんだろうね、きっと」

「でも、あっさり斬られたわけでもないですよね。吉也《きちや》さんやお福さんのように、そこいらに死体が転がってる様子もないし」

「そうだけど……怖いこと言うね、お前も」

　弓月は顔をしかめた。また斬られた首が飛んでいた夢が、頭を掠《かす》めて消える。

「だとしたら奴らは親分さんを、どこぞへ連れて行ったわけです。どうして今回だけ、そんなことをしたんでしょうか」

「岡っ引きまで殺されたとあっちゃあ、この件を扱っていなさる同心の旦那《だんな》だって、放ってはおけないからさ」

諸事物騒な世の中で、人殺しが増えているのは事実だ。町方にしても、辻斬《つじぎ》りだと聞けばお調べとなるのだろうが、ことさら驚いて騒ぐことはないだろう。慣れてしまっている上に人手が足りていないのだ。

だが身内が殺されたとなれば話は別となる。だから、すぐには手を出さなかったに違いない。

「となると……親分は今、どこにいるのかな」

弟の考え方は現実的だ。弓月は夢に現れた岡っ引きをまた思いだし、血の臭いを感じて口元を押さえた。

「先に夢を見た。その中で……親分は板間に座っていたよ」

「場所までは分かりませんか?」

「私の知らない部屋だった……」

吐き気がこみ上げてきたが、必死にあの夢をたどってみる。細かに弟に話した。

「どう見ても、小さな部屋じゃなかったな。長屋や商家にも見えなかった。がらんとした広い板間だ」

「寺社にある部屋に似ていますか?」

「多分……そうなんだろう。でも座敷牢《ろう》みたいな部屋なんて、神社にあるものかな」

「うちみたいな小さな社と違って、こういう大きな社には、色々な歴史があるでしょうからね。閉じこめておきたい者の十人くらい、いたかもしれませんよ」

信行は冷静だ。

「親分さんは、この白加巳神社で行方知れずになったんです。木戸も閉まった後だし、余《よ》所《そ》へ運ぶのは大変でしょう。きっと、まだここにいますよ」

「つまりこの建物のどこかに、押し込められているというわけか」

「兄さん、夢告《ゆめつげ》で見るわけにはいきませんか？　神社は広い。私たちがいちいち部屋を確かめて歩いたら、ここの神官さん方に妙な目で見られること請け合いです」

この言葉に、弓月は一瞬怯《ひる》んだ。弟は弓月の占いを信用して、こう言ってくれたのに違いない。

しかし、最近のように夢告を続けて見たことはなく、占うことにいささか……かなり恐怖心が増してきている。寝ている間に、夢に引きずられているからだ。その夢が酷《ひど》く恐ろしげなものだったからだ。

（いつか夢から、戻って来られなくなる。そうしたら、私はどこへ行くんだろう）

邪推は半ば確信に変わりつつある。感じるのは恐怖と血の味と吐き気だ。気がつくと、こちらを弟がじっと見ていた。

「何だか調子が悪そうですね。どれくらい合間を空ければ、次を見ても大丈夫だと思えそうですか？」

「分からないよ。お前も承知していることだろうが、ここに来る前は夢告なんて、年に二、三回しか、しなかったからね」

「もっと見ていたと思ってましたけど。だって兄さんはときどき、朝、とんでもない声と共に飛び起きていた。昼間でも、魂が抜けたみたいになっていたこともあります」

「そっ、そうかい」

しかし信行はそれ以上、無理強いするようなことは言わなかった。

「できないことは、仕方ありませんね」

何とか占い抜きで捜そうと言って、立ち上がる。その姿を見ながら弓月は、情けなさに月の光から逃げるように、首をすくめるしかなかった。

（せっかく信行が信頼してくれたのに）

それでも……怖くて仕方がない。

「行きますよ、兄さん」

促されて、夜の中を二人で歩きだした。

（はあ……）

暫《しばら》くはため息しか出てこなかった。

とぼとぼと、弟の後ろについていく。しかし拝殿前に来たとき、弓月はひょいと足を東に向けた。先になって行くと弟が、行き先に当てがあるのか尋ねてきた。

「確信があるわけじゃないがね」

ただ、親分の居た部屋のことを考えていたら、思いついたことがあったのだ。

「夢の内で見た、親分さんのいた広い部屋は、座敷牢になっていたと、さっき言ったよね」

「ええ。浪士が横に立っていたと」

「座敷牢にあるような格子は、すぐにあつらえるわけにはいかないだろう。どの部屋だか分からないけど、以前からあったものを、浪士は利用しているはずだ」

信行が頷《うなず》く。

「白加巳神社の境内は広いけど、こっそり座敷牢を作れる場所というと、そうは多くないと思わないかい。庁屋《ちょうのや》では人目がありすぎるし、拝殿、本殿、末社などは論外だ」

残りの建物の中で、西回廊や氏子がよく出入りするはずの神輿庫《みこしぐら》などは除かれる。広い部屋がある場所なのだ。一番考えられるのは、参集殿か東殿だった。

「その内参集殿は、皆が寝泊まりしているところだし、多分違うだろう。広いんで興味のままに見て回ったけど、奇妙な部屋などなかったと思う」

「そういうわけで今、東殿へ向かっているんですね」

東殿は文字どおり東に位置する建物だった。本殿を囲む瑞垣《みずがき》沿いに歩いて行くと、右手に現れてくる。ぐるりと回廊に囲まれていて、夜目にもなかなか大きな外観だ。川辺《かわべ》兄弟が育った清鏡《せいきょう》神社にはない建物だから、日ごろどんな使われ方をしているのか、はっきりとは分からない。

木陰沿いに近づいてみると、夜遅い時刻とて回廊の内は、蔀戸《しとみど》が皆しっかりと下ろされている。出入り口の板唐戸《いたからど》も、戸締まりはちゃんとなされている様子だ。

「親分さんが押し込められているせいだろうか。そりゃあきちんと鍵《かぎ》を閉めてあるよ」

小声で言うと、弟にため息をつかれた。

「きょう日、物騒ですからね。清鏡神社だって、戸締まりには気をつけていますよ」

「うちもかい？　一体何を盗まれるって言うんだい？」

「兄さん、今はそんなこと、考えている場合じゃないでしょう」

たしなめられ、慌てて東殿に向き直る。

「そうだった。親分さんがここにいるかどうか、それを確かめるのが先決だ」

回廊を回って外から戸を叩《たた》き、中の反応を見てみるわけにもいかない。本当に岡っ引きが幽閉されているとすれば、浪士たちがこの建物の近くにいるだろうからだ。

「さて、困りましたね。どうしたものか……」

このまま引き返すしかないのだろうか。でもそれでは、問題の先送りにしかならない。しかし青明日子供らを逃がしたら、弓月たちは戻ってきて岡っ引きを捜すつもりなのだ。

戸屋が逃げ出した後になるから、下手をすれば親分の身が危なくなっている。

（やっぱり今、どうにかしたいところだよね。何とか建物に入れる方法はないものか。何とか……）

そのとき、それは突然に訪れた。

3

気がついたときは、目の前が揺れていた。

（しまった！）

そう感じたのを覚えている。しかしいつもの感覚は勝手に一人歩きして、弓月はすぐに、どこか遠くへ放り出されるような怖さに包まれていた。ほどなく何かが目に入ってくる。東殿の庁屋に近い側を歩く己を、高みから見下ろしていた。

（これも……夢なんだよね）

進んで行く自分の足取りには、奇妙に迷いがない。弓月は身を低くしながら回廊にそっと上がり込むと、すいと視線を下げていた。

（どこを見ているのだろう）

己の見ているものが分からないというのは、どう言い表してよいのか分からない奇妙な感覚だ。弓月は這《は》いつくばるような恰好《かっこう》で、東門側の回廊を進んで行く。目前の扉の右横低いところに、明かり取りのためにか、小ぶりな窓があった。弓月は迷わずに、そこに手を掛けた。

(ああ、あそこが開くんだ)

何故だかそう確信したとき、またいきなり目の前が大きく揺さぶられた！

(ぐえっ……)

戻った途端、胃の腑《ふ》を殴られる思いがした。だが大声を出すわけにはいかない。目の前が大きく揺れて、草の上に転がった。口いっぱいに広がったのは血の味だった。

(うええっ……くうっ)

夢に切り裂かれている気がした。酷《ひど》い吐き気だ。しかし今吐いてしまったら、体の中にある血を全部出してしまうまで止まらぬだろう。必死に口元を押さえる。

「兄さん？　具合が悪いんですか？　どうしたんです？」

いきなり動けなくなった弓月の横で、信行の不安な声が聞こえた。その辺りを憚《はばか》らない喋《しゃべ》りを、腕を掴《つか》んで止めさせる。手に血が付いていたらしく、ぬるりと腕の上で滑った。弟の震えが肌を伝わって来る。

「大丈夫だよ。ただ……また見えたんだよ。それだけだから」

どうやら少しばかり先の刻限にいる、己自身を見ていたらしいと、小声で告げる。小窓のことを説明して有無を言わさず、そちらに向け歩み出す。信行は驚くほどに役に立つ夢告に、大きな桜の木の下で、呆然《ぼうぜん》とした顔を作っていた。

「夢告がいつの間にか、凄《すご》いものに化けたみたいですね。でも……体は大丈夫なんですか？」

(凄いものじゃなくて、とんでもないものになっているんだけどね)

夢は暴走し始めている。本当に血の味がしてきている。このまま見続けたら、井戸の蓋《ふた》の代金と引き換えに、ほどなく三途《さんず》の川を渡ることになりそうだ。

(それでも見えたのは有り難いか。命の恩人の親分さんを見捨てるわけにもいかないしね)

それに、岡っ引きを助け出して、浪士たちを出し抜きたくもあった。いきなり人に斬りかかって来る辻斬《つじぎ》りが、弓月は気に食わない。この剣呑《けんのん》なご時世の中、どんなご大層な考えの末にお江戸に集まったのかは知らないが、下々《しもじも》にとってはただの歩く狂気だ。

二人でそろりそろりと東殿に近づき、端の階段から回廊に上がる。つい今し方同じことをしていたような気がして、弓月はまだ夢の内にいるような、不確かな心持ちがしていた。

(そうだよ、こうして身を低くし廊下を進んでいた。そうして小窓に手をかけ、ゆっくりと開けるのさ)

窓の内は月の下より一段と暗い。その四角い闇の中に、するりと身を入れていった。月の明かりが背後の窓から僅《わず》かに入っているばかりでは暗く、目が慣れるのに少しばかりかかる。

（間違いないよ。夢で見たのはこの部屋だ）

弓月たちは板間に立っていた。目の前には夢で見た通りの、頑丈そうな格子がある。仕切られた向こう側には、一層濃い闇が広がっていた。

「もし……親分さん、ここにいるんでしょう？」

小声を出してみる。部屋の内に浪士がいたらと思うと肌が粟立《あわだ》つが、黙っていては何も進まない。格子を軽く叩いてもみた。返事がない。ただ静かだった。今、ここにはいない様子だ。夢告は必ず当たるものではないから、不思議ではなかったが。

（もしかして……もう亡くなってしまったとか）

地を這うような恰好で、苦労して東殿に入り込んだのに、ここにきてつっかえてしまったような塩梅《あんばい》だ。さてこれからどうしたものかと、弓月は弟の方を振り返った。

そのとき！

格子越しに肩を摑まれていた。余りに突然のことに、驚きを通り越して声が出ない。しかし、それが良かった。

「何だ、お前さんたちは……客の神官兄弟じゃないか」

（親分さん！）

その声は、確かに聞き慣れたものだった。じろりと闇の内から、薄く光る目が睨《にら》んでくる。手を離す様子はなかった。

(良かった。まだ生きているよ)

「あんたは俺が危ないと言っていた。もしかして浪士のお仲間なのかい？」

「馬鹿なこと言わないでくださいよ。苦労して助けに来たっていうのに」

信行の不機嫌極まりない口調に、親分が怯《ひる》むのが分かった。小声で話すよう言うと頷《うなず》いて、すぐに手を引っ込める。

「いつまでも通夜の席に帰ってこないので、皆で心配していたんです」

「境内で考え事をしていたら、いきなり殴られてな。石頭でなかったら、今ごろお福の早《はや》桶《おけ》の横に、俺も据えられているところだ」

冗談に聞こえない話で、笑い飛ばすこともできない。気がついたときには、この部屋に入れられていた。ときどき浪士が見回りに来ると言う。

「浪士！　やはり近くにいるんですね？」

話は後だ。急いで格子の隅にある戸を何とか開けて、親分を外に出さなくてはならない。しかし、これが難題であった。頑丈な錠前が付けられていたのだ。

「合い鍵とか、鉄を切る刃物とか、持ってこなかったのかよ」

「ただの神官に、そんなこと期待しないでください」

それでも何か針金のようなものがないか、二人の体中を探した結果、信行の紙入れに細い簪《かんざし》を見つけた。それを使って、何とか錠が開かないか試すこととなる。忙しく手を動かしつつ、弓月はひょいと弟に質問を向けた。

「ところで信行。この簪は誰にあげるつもりだったの？」

弟ときたら、たまたま拾ったものだと、そう言い張ってきた。

「花のようなビードロ細工が付いているよ。こんな綺麗《きれい》な簪が、道に落ちているもんなのかい？」

「そうだったんです！」

「おい、喋っていないで急いでくんな。いつ奴らが来るか分かったものじゃないんだ」

岡っ引きの声は、やや引きつっている。

「やってますってば。でも簪は鍵じゃないし、私は錠前破りなんて、したことないんですよ」

血にまみれた夢の場面が頭に浮かぶから、薄暗い中、必死に試みるのだがうまくいかない。じれた弟と交代するが、それでも格子が気に入っているのか、錠はその場を離れようとはしなかった。暫《しばら》くして、岡っ引きの苛《いら》ついた言葉にうんざりした弟と、また交代する。新たに簪を差し込んだとき、何の拍子か急にがちりと音がして錠が外れた。

「やった！」

扉から錠前を取り去り、親分に手招きをしながら開ける。そのとき。

後ろからいきなり突き飛ばされた。

暗闇の中に頭から転げ込む。急いで振り向くと、格子越しに信行と二人の男の姿が目に入った。すぐに信行も、格子の中に押し込まれてしまう。

「どうせ牢《ろう》の鍵《かぎ》を開けなきゃいけないのなら、自分たちでやらせた方が楽だわな」

不機嫌に語られた嫌みっぽい言葉の主に、弓月は見覚えがあった。薄暗い中でも間違いはしない。

「あんた……つい先日私を斬り殺そうとした、あの辻斬りだね」

どうやらあのときこの浪士が逃げ込んだ先は、この白加巳神社だったらしい。

「こんなことして……何をやろうとしているんだ」

「聞くなよ。耳は満足するかもしれないが、余計なことを知れば、見逃してやるわけにもいかなくなるだろうが」

返事をした浪士は笑っていて落ち着いたものだったが、辻斬りの方は気が短いらしく、弓月の喋りようが気に食わなかった様子だ。いきなり格子の間から、鞘《さや》ごと刀を突っ込んでくる。避けきれずに首元を突かれて、弓月は大きく咳《せ》き込んだ。

そのやりように連れが、からかうような口調で言う。

「怪我をさせるなよ。また山根《やまね》さんに文句を言われるぞ、伊那《いな》」

「知るものかよ。権田《ごんだ》、今夜はこいつらの方から、飛び込んで来たんだからな」

相方《あいかた》を押しのけて、伊那と呼ばれた浪士がずいと格子の内に入り込んできた。さすがに空手では岡っ引きも、刀を持った相手に腰が引けている。首を落とされると弓月が言ったのを、思いだしているのかもしれない。

だが浪士は刀を抜くと、ひょいと弓月の喉元《のどもと》に、その物騒な輝きをあてがってきた。

（えっ……）

声を出したら、首の皮が切れそうであった。くしゃみでもしたら、あの世行きだろう。

（驚いた……私が斬られるのかな）

考えてみれば弓月の夢告は、本当に起こる出来事と、よく奇妙に食い違う。人が入れ替わるのも、珍しいことではなかった。

「気に食わねえ。今こいつの首を切り離してやったら、すっとするだろう」

目が嫌な具合に笑っている。それを硬い声が止めた。

「止めろ、伊那。余分なことをするんじゃない」

ほっとした様子の権田が、声の主を「山根さん」と呼んだ。刀が喉元から消える。やっと首を声のした方へ回すと、部屋の回廊に面した戸が大きく開け放たれ、幾つもの手燭《てしょく》が掲げられているのが見えた。数人の浪士に囲まれて、留守番をしていたはずの青戸屋や子供たちが庭に現れている。

（何と、全員捕まったのか！）

「これはこれは。山根さん、あんた暫く、そいつらを放っておくつもりじゃなかったのかい？」

「明日、逃げ出す計画を立てていたらしい。それは困るからな」

首謀者らしい男の言葉と共に、皆も格子の内に入れられてしまう。それを目の前にしながら、弓月は牢の内で呆然《ぼうぜん》と立ちつくしていた。一つには、山根が彰彦を斬った辻斬《つじぎ》りだったからだ。だがそれよりも、もっと驚いたことがあった。

（明日のことは、まだ……通夜の席でしか話していない。それを、何故こいつらが知っているんだ？）

話を聞いていて、なおかつこの牢の中にいないのは一人だけだ。

（どうして……だって、伊之助がここに、一緒にいるのに！）

思わず目を向けると、伊之助の視線は真っ直ぐに、開いた扉の方へ向いている。その先、浪士たちの後ろに、見慣れた袴《はかま》の縞《しま》模様があった。

「竹之助さん……なんでそっちにいるんですか」

声が出ない様子の伊之助に代わって、弓月が口を開く。竹之助はそれを無視して、息子に声をかけた。

「窮屈だろうが、暫くそこにいろ。横にいる神官さんが、とにかく青戸屋の跡取りをはっきりさせるまで、お前たち三人は外には出してもらえないんだよ」

それでも、危ないことはないから安心していいと言う。

「少なくとも、お前や青戸屋さんたちはな」

ちらりと親分に送った目つきが、変な笑いを含んでいて寒気がする。岡っ引きが怯まずに、竹之助に言葉を返した。

「お前さん、浪士たちとつるんでいたわけか。いつからだ？　ここに来る前からか。では伊之助は偽物か！」

「馬鹿言ってるんじゃない。偽物なら今そっちに入っちゃいないさ」

益々《ますます》にやにやしながら竹之助が答える。

「子供を拾ったいきさつは本当のことだ。俺が皆に声をかけられたのは、この神社に来てからだからな」

確かに浪士と竹之助が出会う機会は、多くあったかもしれない。しかし。

「何で人殺しなんぞの仲間になったんですか。伊之助が……どんな気がしているか」

弓月を竹之助が睨《にら》み付ける。白目が夜の中、光っているかのようであった。

「お前なんぞに俺の心の内が分かるものか。俺はもう長年の浪人暮らし。だから……金のある町人の言葉につられて、息子を連れ、こんなところにまで来てしまった」

まるで大身代そっくりもらえるかもしれない集まりに、本当なら出たくなかったとでも言うようであった。

(でも……もしかしたら、それが本音だったのかもしれない)

やってきたからにはと、お福と張り合ってはいた。だが妻が生きていれば来なかったと言っていたではないか。小禄《しょうろく》でも、浪人暮らしでなければ来なかった。今のままでは伊之助の先々が心細いと思わなければ、来たくはなかったのだ。

息子を金と引き換えにするような気持ちだったのかもしれない。

(そこを、勤王派の浪士につけ込まれたか)

世の中が変われればもう浪人でいなくて済むと、言われたのだろうか。新しい為政者が出れば、今の身分も変わっていき、様々な可能性が生まれてくるだろう。しがらみが無くなる。息子まで、竹之助と同じ細々とした一生を送らせずに済む。

もし本当に伊之助が新太郎本人だとしても、竹之助は息子を青戸屋に返さずにおられるかもしれないから……。

(くそっ……)

泣きたいような気持ちと腹立たしさが、一緒になって腹の内にあった。

しかし、そんなことかもと察しをつけても、竹之助の行いが恨めしいのに変わりはない。人を斬ることにためらいのない浪士に捕らわれているのだ。夢で見たように、いつ首と胴が離れてもおかしくない。

(それに……)

弓月は唇を噛《か》んだ。大きく開かれ明るく照らされた扉に、厳しい視線を送る。竹之助のことだけではない。もう一つ、確かめておかなくてはならないことがあった。

「彰彦さんは……権宮司《ごんぐうじ》は、今どこにおられます？」

「おや、いきなりのご指名だ。何か用なのか？」

山根の面白がっているような声を無視して、月光の降る庭を睨み付けた。彰彦は近くにいるような気がする。

いや、いるのだ！

弓月は外の闇に目を向けた。

4

「あなたたち浪士は、境内を根城にしているだけではない。もっと積極的に、白加巳神社に援助を受けていたに違いない」

そうでなければ、ああも大っぴらに戸を開け、東殿周りで明かりを点《つ》けたりするまい。はっきりとそう言うと、山根は笑って肩越しに後ろの方を向いた。その視線の先から、見慣れた姿が夜を割ってゆっくりと現れてきた。

「彰彦さん……」

「こいつ、やはり辻斬りの手先だったのか！　以前に辻斬りに斬られたのは、ありゃあ芝居か」

噛みつかんばかりの岡っ引きの様子に、山根らが笑い出す。

「前に権宮司を斬ってしまったのには、こちらも驚いたよ。そこな客人を庇《かば》うから、そんなことになったんだ。それに親分さんよ、悪口はいけねえな。権宮司はお前の命の恩人なんだがね」

「何だとぅ？」

「皆は岡っ引きなぞ余分なお荷物、さっさと始末しようと言っていたのだ。いなくなったら奉行所がうるさいだの、後が大変だのとごねて、あいつが止めてくれたんだぞ」

そのとき山根が浮かべた笑いは、見ていて気持ちの良いものではなかった。切れ味の鋭すぎる刃に似ている。彰彦がしばし弓月たちの前に姿を見せなかったのは、この男たちとやりあっていたからかもしれない。

「でも考えたら、斬っても良かったんだ。東門脇の池から塀の外、堀川に流してしまえば、すぐに大川に行きつく。男の土左衛門《どざえもん》なぞ誰も引き揚げたりしない。海まで流されるだけの話だったのさ」

「山根さん、何故客人方がここにいるのですか。手は出さないと、約束したではありませんか」

彰彦が格子の内を見て、唇を嚙みしめている。それを山根は笑って受け流す。

「俺たちは、必要なことをしただけだ」

「あんたたち金が欲しいのかい。だったら話は早い。身ぐるみ剝《は》がれようが黙っていよう。その代わり、皆をすぐに帰しちゃくれまいか」

ここで話を引き継いだのは青戸屋で、ずいと浪士たちが見えるところまで、前に出てきた。その姿を山根が、面白そうに唇をひん曲げて見ている。

「ほう、金をくれるのかい。素直でいいねえ」

青戸屋が巾着《きんちゃく》と紙入れ、両方を差し出した。それを見て、山根は小さく声を出して笑い出した。

「足らないな。それじゃあ不足なんだよ」

「商いに来たわけでなし、これ以上のものは持っちゃおりませんよ」

「それくらいは心得ている。だがな、俺たちは世の中を動かすんだ。そのために江戸へ出てきたんだよ。巾着に入るほどの金子《きんす》では、大して役に立たないのさ」

山根が格子に張り付くように近寄ってきた。その顔には、微塵《みじん》の迷いもないように思えた。ただただ己の考えを信じている。

「短筒が要る。刀が要る。仲間を京へやり、江戸へ戻す旅費が要る。それぞれに毎日、霞《かすみ》でないものを食う金も入り用だ。大事に備えねばならぬのに、日々入用な金子を調達するのに、追われている始末だ」

　このままでは士気に関わる。何とかしなければという話になっていたとき、青戸屋の噂が、神社から伝わってきたという。

「跡取りを捜しているという。見つからなければ、店を閉めるかもしれぬとの話だ。札差《ふださし》が自ら店を処分しようとしている。まさに天の配剤だと思ったよ」

　唇の片端だけが、ぐいと吊り上がる。目が僅《わず》かな明かりを映して、白く光って見える。

「青戸屋の跡取りが分かった段階で、我々がその子供を預かるのさ。青戸屋は予定通り店を閉め、その資産を金に換え、身代金《みのしろきん》として我々にそっくり提供する。全部いただいた後、子を返してやろう。一緒に新しい世を創りたいと、子供が言わなければな」

「何でそんなややこしいことを。いっそ店に夜盗にでも入れば、一気に片が付くのに」

　信行の呆《あき》れた声に説明を返したのは、格子に手をかけた青戸屋だった。

「そんなやり方じゃあ、青戸屋の財産は一部しか手に入らないからだろうね。例えば家屋敷を売ろうと沽券《こけん》状を盗んでも、町名主《まちなぬし》と五人組の加判が必要だ。簡単に売っぱらうなんてことはできないんだよ。金だって蔵前《くらまえ》にだけ置いてあるわけじゃないんだ」

　幾つもある倉の品まで持ち出そうとしたら、それこそ時がかかって朝になるだろう。第一、浪士が札差から大枚を盗《と》ったと分かったら、お上《かみ》は大がかりな追捕《ついぶ》を行うに違いない。

「青戸屋の金、根こそぎ持っていこうとするなら、私に自分から、こっそりと差し出させるしかない。それで息子を人質にしようとしているんだね」

「まだ誰がそうだか、分かっていない子供だ。世間には見つからなかったと言って、店を閉めても不自然じゃないだろう。そのためにはなるたけ早く三人のうち、誰が実の子か見極めて、関係ない者は帰してしまうつもりだったのだがね」

弓月の夢告《ゆめつげ》が思いの外手間取ってしまい、そうこうしているうちに、予定外にも悶っ引きに首を突っ込まれることになってしまった。

「事がはっきりとするまで、参集殿に集まった者は、神社の外には出すなという申し合わせになっていた。でも帰ろうとしたあの二人なら、殺すことはなかったんだが」

大人数が集まっていると、細かい意思の疎通ができず融通がきかない。間の悪いことだったと言う山根に、叫ぶような言葉が降りかかる。

「おとっつぁんは、犬死にだったの？　ただ櫛《くし》を取りに行こうとしただけなのに。別にあんたたちの邪魔になることも、しちゃいなかったのに！」

清吉の声に正五郎の怒りが重なる。途端にがつん、と格子を打つ音がして、その声を黙らせた。伊那だ。

「がたがたうるさくしていると、中の誰かを斬り殺して、憂さを晴らしたくなってくる。それでもいいか？」

格子越しに刀が突き入れられると、皆が一斉に後ずさった。剣先が真っ直ぐに、弓月の方へ向く。

「お前さんがさっさと跡取りを見つけさえすれば、関係ない奴は家に帰れるんだ。だから早く占うんだな」

「……彰彦さんから聞いていないんですか。私は続けて夢告をすることができないんです。さっき親分さんを捜すのに、無理してまた占いました。当分休まなくては」

伊那が間違えて渋柿を食ったような顔をして、彰彦に確認している。神官にその通りだと言われると、ものも言わずに大股《おおまた》で東殿を出て行ってしまった。他の浪士たちも顔を見合わせている。

「めんどくせえなあ」

錠がかけられているのを確認し、それぞれ夜の中に消えて行く。山根は己も出て行く前に、さも親切そうな顔で皆の世話をしてやれと彰彦に言った。だが、鍵《かぎ》を渡そうとはしなかった。彰彦は返事もしない。

（なるほどねぇ）

浪士が消えると、ほっと息をつき、彰彦が格子に寄ってきた。袂《たもと》からたたまれた小さな提灯《ちょうちん》を取り出し弓月に渡す。

「水は部屋の隅に。用足しは奥の衝立《ついたて》の向こうで。親分さんが心得ておいででしょう」

「おい、俺たちをどうする気なんだ？　事情を知ってしまったんだ。見逃してもらえるとも思えないが」

岡っ引きが不機嫌そうな顔で言う。彰彦は格子の前で下を向いたまま、ぼそぼそと言葉を返してきた。

「私は倒幕方とつきあうなぞ、反対だったんです。血で血を洗う騒ぎに首を突っ込むなど、穢《けが》れが多く、とても神の御心《みこころ》に適《かな》うとも思えない」

だが白加巳神社では、新しい世を望む声が多かったのだ。幕府の下で幅をきかせてきた僧侶《そうりょ》ではなく、己たちが宗教の世界で中心になれる。浪士たちによって、言葉巧みに語られた先の世への期待感が、神社の行動を決めてしまったのだ。

「うまい話ばかりなはずもない。乗ってはいけないと言っても、私一人ではどうしようもなかった」

「自分は関係ないと言いたいのかい。青戸屋をこの神社に呼んだのは、お前さんだろう！」

岡っ引きの声に、彰彦が顔を上げた。真っ直ぐに見返す。

「私にもやらなくてはならないことが、あるんですよ。今、どうしても！」

そのために、浪士たちのことばかりに構ってはおられなかったと言う。言ってから、自《じ》嘲《ちょう》気味の笑いを浮かべる。

「確かに皆、勝手ですね。浪士たちは己らこそ正しいとして、青戸屋さんたちを踏みつけにしても、世を新しくするのだという。白加巳神社の神職たちは、やっと神の権威が復活すると、そればかりしか考えない。私はこんな話になるかもしれぬと知りながら、どうしてもしなければならないことを優先して、皆を助けなかった。青戸屋さんはこの心細いご時世に、大枚の入った夢を貧乏な者たちの前にぶら下げている」

彰彦は皮肉っぽい笑みを浮かべている。何に関わっているのか、そのことが優先で、皆を逃がしてくれようとはしない様子だ。

「彰彦さん、親分さんだけでも、今ここから出してくれませんか。あの伊那という侍、いつ気が変わったと言って、刀を振るうか分からないですから」

「無理ですね。鍵はないし、私は信用されていないのです。親分さんがここから逃げるのを見かけても、目を瞑《つぶ》るくらいはします。だがそれ以上は……」

首を振ると、何か食べ物を見つけて来ましょうと言って、東殿の外に出て行ってしまう。残された面々は格子の内で、差し入れられた提灯の明かりの周りに座り込んで頭を抱えた。

「明日のおっかさんの野辺送りは、どうなるんでしょう」

不安げな正五郎に向かって、弓月はなるたけ安心させるように、ゆっくりと答える。

「それは心配ないよ。神宮寺にはお坊さん方もおられるんだ。菩提寺《ぼだいじ》ではなくて、ここの神宮寺に仮埋葬されるかもしれないが、きっと彰彦さんが、ちゃんとやってくれるから」

「けっ、あの権宮司は何を考えてやがる」

面白くない顔なのは岡っ引きで、裏切られたり庇《かば》われたりで、彰彦のことをどう考えていいのか分からないのだろう。それは弓月にしても同じだった。

「一体、こんな目に遭っている皆を放っておいてまで、彰彦さんがやりたいことって、何なのだろうか」

信行が首を傾げている。くそ真面目な感じがするところが、この弟と権宮司は少々似通っていた。

「弓月さん、とにかくなるたけ早く青戸屋の跡取りが誰なのか、夢告をもう一度していただけませんか？　うちと関係のない方々まで巻き込むのは心苦しい」

青戸屋の言葉に、弓月はきっぱりと首を振った。

「今、跡取りが分かっちゃあ、まずいんですよ。皆、浪士が何をしようとしているのか、知ってしまった。新太郎さんが誰だか知れたとて、他の二人の子や私たちを素直に家に帰すとは思えません」

浪士たちにとって一番簡単な対処は、辻斬《つじぎ》りに見せかけて、神社からの帰り道に皆を斬り殺してしまうことだ。もう二人を殺しているのだから、大した違いはない。そう話すと、お栄が息を呑《の》んだ。

「じゃあ、どうしたら良いんでしょう。殺されるのを待つしかないんですか」

「とりあえず、新太郎さんが誰だか分かるまでは、参集殿の客は大丈夫でしょう。問題は……親分さんです。これは待ったなしだ。急いで逃げていただかなくてはならない」

「けっ、十手をいただいているんだ。覚悟はできていらあな」

ぴしりと啖呵《たんか》をきってはきたが、人ならば首を落とされるのは、怖いに違いない。

「確かに明日になったら、あの伊那という浪士が、どう出てくるか分かりませんね」

幸右衛門が腕を組んでいる。

「誰か、考えがありませんか？」

「もう少し前の話だったら、棺桶《かんおけ》の中に入って神社から逃げるという手もあったでしょうけど」

この思いつきを言ったのは正五郎だ。死体は己の母だから怖いという気持ちがない分、こういう考えも浮かぶのだろう。

「それは試さなくて良かったよ。こうなったら棺桶は神社から外へ出ることもなく、さっさと土に埋められるだろうからね」

そのまま棺桶の中で本物の死体になりかねない。信行の話に岡っ引きが小さく、うへえと声を漏らしている。

「いっそ幽霊か亡霊にでも化けたら、外へ出られませんかね。ここは神社だし、近くに神宮寺もある。そんなものを見かけても、おかしくないかも……」

「そいつは無理だよ。足がある幽霊がいるものか」

「河童《かっぱ》か鬼にでも化けるとか」

「それ、本気で言っているのかい？」

子供らがわいわいと話している声を、弓月はしばし黙って聞いていた。それから不意に頷《うなず》くと、皆に笑みを向ける。

「もしかしたら……一回きり、一人だけなら、逃がすことができるかもしれませんよ」

「本当かい」

皆の視線が集まる。弓月は少しばかり自信なげに、親分の方を向いた。

「ただ確実だとは言えません。危ないかもしれない。でも、今のところ他に方法を思いつかない上に、時間がないんです」

「分かっている。試しようが見つかったというなら、それだけで嬉《うれ》しいさね。で、どうしようっていうんだい？」

「できるかどうかは……彰彦さん次第ですね」

権宮司の名を聞いて、親分は口をへの字にすると固く閉ざしてしまった。しかし、弓月の思いつきだけでは、どうにもならないのだ。

「それに、企《たくら》みを成功させるには、皆さんにも手伝ってもらわねばなりません」

彰彦が承知もしていないうちに、既に弓月は計画の詳しい話を皆に始めていた。

第六章

1

夜がどこまでも深くなってゆき、闇の色も重さを持とうかという刻限。白加巳《しらかみ》神社の木々の下を、動くものがあった。

平素ならば誰一人として見ることのないはずのその歩みを、今日ばかりは人の目が追っている。視線の先に、ちらちらと瞬く幾つかの小さな灯《ともしび》がある。木の葉越しに見えているその明かりは、三つの蠟燭《ろうそく》の光だった。

それは真っ直ぐに、本殿の背後にある木立を目指して進んでゆく。裏参道に通じる小さな鳥居の前を横切ったとき、闇の中で動く者がいた。

「誰だ？　脱出した者がいたのか？」

押し殺した声がする。闇に一寸《ちょっと》、殺気が走った。

「それにしては、何となく向かう先がおかしくないか？　妙に明るく三本も、蠟燭を灯《とも》している し……」

「三本だと？　あっ……」

急に話が途切れた。声がぴたりと止まる。そこにまた戸惑いぎみの声がした。

「何で立ち止まるんだ。跡をつけなくては」

「大丈夫だ。もうすぐあの音が聞こえて来るはずだ。そうなったら、間違いようもないからな」

「だから、何のことだ？」

話が嚙《か》み合わないでいるうちに、暗い中、待っていた硬い音が聞こえてきた。明らかに金槌《かなづち》を使っている。この刻限、神社内で明かりを三つ灯して金槌を使う者。その目的は一つしかなかった。

「やっぱり丑《うし》の刻参りなんだな。間違いない」

丑三つ時に神社に参り、杉の幹に釘《くぎ》を打つ。懐に鏡を入れ、頭に被《かぶ》った鉄輪《かなわ》の脚三本に蠟燭を灯し、人を呪う。自分が落ちる穴も同時に用意しておけと言われる呪詛《じゅそ》だが、それでも行う者が絶えたことはなかった。

「中にいる者を出すなとは言われているが、丑の刻参りに来る者を止めたのでは、却《かえ》って目立ってしまう。だからどの門からかは分からぬが、神社内に入れたな」

「やれ、とにかくどういう者か、確かめるだけはしておくか？」

「見つからないように、そっとな。呪詛は人に見られたら、効き目が無くなるそうだ」

「それにしちゃあ、派手に灯《ひ》を灯しているな」

小声で話が交わされたあと、密《ひそ》やかな足音が、そっと明かりの方へ近づいて行く。月は時折雲に隠れながら、その姿を天空に見せていたが、丑の刻参りの者は木立の陰に隠れて、所在をはっきりとはさせない。ただ頭上の蠟燭の灯と、伝わってくる金槌の響きだけが、居場所を示している。

槌の音は一定の調子で暫《しばら》く続いた。それが、不意にぴたりと止まった。

三つの灯が、ゆらりと動く。何が気になったのか、杉の木に向かっていた顔が、月が懸かっている方を向いた。その途端、抑えきれなかったらしい浪士の小さな声が、静まりかえっていた木々の間を抜けて行く。鉄輪をいただいた者の体が、びくんと大きく震えた。

「しまった！」

押し殺した声を待ってなどいなかった。丑の刻参りの者は、脱兎《だっと》のごとくその場から駆けだしてゆく。東へ向かい林の端から抜け、月の下に顔を出したとき、側にある鳥居の方から、またしても「わっ」という、別の頓狂《とんきょう》な声があがった。それに、呪詛をしていた者の方が飛び上がる。

月明かりと蠟燭の灯で、夜に浮かび上がったのは、ざんばらな髪と、一面朱に塗られた人とも思えぬ顔だ。それを歪《ゆが》めると一目散に、小さな鳥居の下の道、裏参道を目指し駆けてゆく。

「驚いた。何だ、あの赤い顔は」

「知らないのか。丑の刻参りをする者は、顔を朱で染めるという話だ」

「あれでは鬼と間違えかねん。たまげたぞ」

「人に見られたら、呪いは成就しないらしいからな。誰を呪っていたのかは知らぬが、向こうも我らと行き合ったのを、迷惑に思っているだろうさ」

話を交わしているのは、集まってきた三人の浪士だ。小さく笑うと、驚きに凝り固まっていたその場の雰囲気がゆるんで行く。

そのとき後ろの神輿庫《みこしぐら》脇から、別の声が掛かった。

「何をしている。誰も神社から出すなと、言われているだろうが」

「伊那《いな》さんっ」

慌てて三人が笑みを引っ込める。姿勢を正す。どうも伊那という浪士は、仲間内でも上の立場のようであった。

「でもあれは、丑の刻参りの者ですよ」

「姿を見られたかもしれぬだろうが。夜中に浪士が神社の中で徘徊《はいかい》していると、町方に告げられたらどうする。そんな風に気が抜けているから、何事も進まないのだ」

言うなり！　伊那は手に持っていた木刀を、さっと肩よりも高く掲げると、思い切り裏参道の闇に向けて投げつけた。黒一面の中に僅《わず》かに揺れている明かりがあったのが、木刀が闇に吸い込まれた途端、それが消えた。同時に、短い悲鳴と何かが転げていくような音がする。

「これは凄《すご》い。伊那さん、しとめましたね」

「まだ、どうなったか分かるものか。単に転んだだけかもしれぬ。確かめてこい」

「参道はあの暗さです。所在が分からぬかもしれませんよ」

この返事に、伊那のぴしりとした声が返る。

「行く前から、失敗したときのことを考えてどうするか！　いいから探してこい！」

弾《はじ》かれたように、三人の浪士が階段を下ってゆく。伊那はその後ろ姿に思い切り不機嫌な顔を向けると、仲間を待つことはせず、ついとその場を離れてしまった。

しばし後。

浪士たちは首を振りつつ、鳥居の下から姿を現した。落ちたはずの者を見つけられなかったに違いない。元の場所に伊那の姿がないことが分かると、皆ほっとした顔を浮かべている。わざわざ小言を食らいに報告に行く者もいないようで、夜が明けてからもう一度探そうと言い合って、その場から散っていった。持ち場に戻ったのだろう。

少しばかりの間、境内は静かなままだった。そこに微かに、砂利を踏む音が響く。裏参道の鳥居に面した本殿の周り、瑞垣《みずがき》下辺りからだ。音は拝殿脇を回り込み正面に出ると、狛犬《こまいぬ》の脇をすり抜け、東殿へと進んで行った。

ほどなく回廊へと上がり込んだ影は、小さな窓から建物の中に入り込み、格子の中で待っていた者たちに声を掛けた。

二時《ふたとき》ほど前、東殿では彰彦《あきひこ》が、思わぬ話に目を丸くしていた。

「は？　弓月《ゆづき》さん、今何と言われたんですか？」

食べ物を持って、皆が閉じこめられている格子の外側に来てみれば、とんでもない頼み事が待ち受けていたのだ。

「以前、丑の刻参りの話をしたことがありましたよね。この白加巳《しらかみ》神社にも呪詛に来る者がいると。鉄輪が神社に残っている、ともおっしゃっていた。それと蠟燭、顔に塗る朱などを、持ってきていただきたいんです」

そこまで言えば、彰彦にも弓月が何をしたいのか、分かったようであった。しかし、顔つきが怖いままだ。

「丑の刻参りを装って、神社から逃げようというのですか？　それは無謀だと思いますが」

「おや、駄目ですか」

「まず、私はこの格子の鍵《かぎ》を持っていません。二つ目には、この東殿をもし出られても、相変わらず浪士たちが門や塀沿いにいて、見張っているということです」

　この人数でそんなことをしたら、即刻気づかれるだろう。そうなったら、今度こそ斬り殺される者が出る。薄暗い中で、彰彦の視線が真っ先に、岡っ引きに注がれるのが分かった。その目つきを捉《とら》えて、弓月がまた頼み始める。

「見つかれば彰彦さんにも迷惑がかかるかもしれない。そうとは分かっていますが……やらないわけには、いかないんですよ。彰彦さんが心配されているように、まず親分さんが危ない。どうでも今夜中に、先に逃がしたいんです」

　まずは岡っ引き一人を逃がすつもりだと言うと、彰彦の声の感じが変わった。

「一人だけ、ですか。それならばできるかもしれませんね」

　人を呪うため、夜中に神社に入り込んでくる者は確かにいるのだ。うまくその者に化けられれば、浪士たちも見逃すかもしれない。

「でも……下手をしたら、やはり襲われますよ。今浪士たちは平素より気が立っているでしょうから」

「そいつは承知の上だ。俺一人が先に行くのもためらわれる話だが、何もせずにここに残って、浪士に斬られることはないと、皆が言ってくれるんでね。命を賭《か》けてみることにしたよ」

　岡っ引き自身の返事に、彰彦は頷《うなず》いてよこした。

「そうおっしゃるのなら、是非もありません」

入り用な物は手に入れてこようと言う。

「助かります。場所も分からないまま鉄輪《かなわ》や蠟燭《ろうそく》を探していたら、呪詛《じゅそ》に来た者に化ける前に、見つかってしまいますからね」

だが、もし明日浪士に鉄輪のことを問い質《ただ》されたら、あくまでもしらを切ってくれと弓月は念を押す。自分たちは絶対に出所を言わないからと。彰彦は少し笑って、己のことよりもこの座敷牢《ろう》からどう出るのか考えた方がいいと、ごつい錠前を指さした。

「もう一度頑張って、これを使うことにしたんですよ。お栄《えい》さんの髪に隠したんで、取りあげられずに済みましたからね」

信行《のぶゆき》が先に錠を開けるのに使った、綺麗《きれい》な飾り付きの簪《かんざし》を手にして見せた。開けるのに手間取ること請け合いだったが、彰彦も鍵を持っていないのだから仕方がない。

「考えたら彰彦さんが鍵に手を出せなくて、良かったかもしれません。目の前にあれば、開けてくれと頼んでしまう。だがそれでは確実に浪士に責められますからね」

彰彦はただ首を振り、塩むすびを差し入れると、鉄輪などを揃えに出て行った。その間に信行と弓月が、必死に鍵を開けに掛かる。部屋の奥では、青戸屋《あおとや》や子供たちが岡っ引きの髪をほぐしてざんばらにし、いかにも尋常ではない様子を作っていた。

錠を外すにも、彰彦が鉄輪や朱を東殿に持ち込んでくるのにも、思ったよりも多くの時がかかってしまった。夜が明けてはまずいので、皆で必死に準備をする。錠前が外れなくとも、朱や釘《くぎ》、金槌《かなづち》は狭い格子を通ったので、先に親分の顔を赤く塗り、信行が呪いのやりようを親分に伝授した。

「いいですか。どこから浪士が見ているか、この闇では分かりません。必ず本当に釘を木に打ち付けてください」

外に出たければ、本物の丑《うし》の刻参りだと思われなければならない。手抜きは許されないのだ。

そのときやっと硬い音と共に、格子に付いていた錠前が開いた。急いで鉄輪を親分に被《かぶ》せると、蠟燭を立て火を点《つ》ける。ここで格子の外からその様子を見ていた彰彦が、口を出してきた。

「白加巳神社は四方の塀沿いに木々が生えていますが、今日は本殿裏に行ってください」

そこからなら裏参道が近い。万が一失敗して身元がばれたら、灯《ひ》を消して佐伯《さえき》家の私宅まで突っ走るようにと言う。

「先ほど家の下男に、親分さんがあの道を通ると伝えてきました。あの男なら万が一のときも、一番うまいようにことを運んでくれます」

「それは有り難いですが……いいんですか、彰彦さん」

ばれたらその身が危なくなることは、承知の上の行為だろう。岡っ引きはいよいよ格子の戸をくぐったとき、黙って彰彦に深く頭を下げた。それから皆の方にも一つ会釈をした後、彰彦の手引きで東殿を抜け出し、静かに夜の中へ消えて行く。

「無事に逃げられるか、私が確認しておきましょう」

彰彦もその言葉と共に、後を追った。

「親分さんが消えたこと、なるたけ浪士に知られない方がいい。どうせ私たちは神社の外へ出られないんです。一旦《いったん》この錠は閉めますよ」

せっかく開いた牢の戸を閉めてしまおうというのだから、信行がいささか切なそうな顔をする。それでも他にどうする当てもなく、弓月は自らごつい錠を嵌《は》める。暗がりに硬く癇《かん》に障る響きがした。

2

翌日。閉じこめられた一団は、座敷牢の一番隅の方に固まって座り、格子の外で不機嫌にわめく浪士たちを無視していた。

岡っ引きが居なくなっているのを最初に見つけたのは、目つきの鋭い伊那だ。朝一番の見回りで、ひとかたまりになっていた者たちを何度か数え直した後、慌てて東殿に仲間を呼び集めたのだった。

伊那は事情を説明しろと彰彦に怒鳴っていたが、何も知らなかったの一点張り。鍵は掛かったままだし、中の者たちは口を利かない。段々とわめき散らす伊那の声が大きくなっていった、そのとき。

「少しは静かに喋《しゃべ》ってくれないかね、伊那さん。寝不足の頭に響くわ」

遅れて現れた山根《やまね》がうんざりした顔を浮かべ、低い声でその場を仕切り始めた。

「岡っ引きが逃げた？　参った。こりゃあ、やられたわ」

山根の様子は、どちらかというと面白がっている感じだ。しかし配下への質問は的確だった。

「町方になんぞ動きがあるか？　ないのか。そう……夜のうちに境内で、人影を見かけた者はいないか。神官も含めてだ」

その問いに、逃げた丑の刻参りのことが知らされる。顔が朱で塗られていて、どういう面立ちだったかも定かでないとの報告だった。

「岡っ引きは、丑の刻参りに化けたのか！　考えたな。そりゃあ良い手だ」

山根は大きく笑い出している。

「木刀を受けて裏参道を転げ落ちたらしい、と。姿が見当たらないとなれば、大した怪我もなく無事に逃げたのかもな」

しかし、と、山根は首を傾げている。そうだとしたら、今ごろ岡っ引きの報告を聞いた町方が、神社にやって来ていても不思議ではない。だが、そんな様子はなかった。

「それに伊那さんの腕は大したものなんだよな。闇の中でも、蠟燭の灯を目がけて木刀を投げたのなら、外したとも思えないが」

さてはてとこぼしながら、山根はゆっくりと歩いて彰彦の前に立つ。背の高い男は、少しかがんで彰彦の顔を正面から覗《のぞ》き込んだ。

（うへえっ。私ならあんな奴と見合うのはごめんだ）

特に秘密を抱えているときは。このときばかりは格子で隔てられているのを感謝しながら、弓月は首をすくめた。

「権宮司《ごんぐうじ》。あなたの私宅は裏参道近くにあったんでしたよね」

「疑っておいでなら、どこでも好きに調べたがよろしい」

彰彦の方は怯《ひる》む様子もなく、あっさりと言い返す。この返事に山根は眉尻《まゆじり》を下げて、ものの柔らかに謝った。

「こりゃこりゃ、済みませんな。そうですか。一応権宮司の家は見せていただくが……これはどう考えても、岡っ引きはいないようですな」

「山根さん、そんなにあっさり納得していいんですか」

伊那がきつい目つきを彰彦に向けている。

「こら、睨《にら》んだってしょうがないだろう」

それをたしなめると、山根はどういうつもりか、嬉《うれ》しそうに彰彦に笑いかけた。

「少なくとも、今は、もう、いないんだよ。ねえ権宮司」

あなたは使えるお人だ。是非ともこれからも長くおつきあいを願いたいと言われ、肩を抱かれて、彰彦はそっぽを向いている。弓月は早鐘のように打つ心の臓を押さえながら、息を吐き出していた。

(浪士たちに思い切り疑われている。もう彰彦さんに頼み事はできないね)

どうやったのか、彰彦は岡っ引きを朝までの間に、私宅から動かしたらしい。あそこでは疑われると踏んで先に動いたのだ。

昨日の夜中、彰彦が一旦知らせに来てくれたときは、岡っ引きは伊那に木刀で狙われて、安否が知れなかった。その後もう一度様子を確かめに行った彰彦から、岡っ引きが下男に救われて私宅にいると聞いたときは、心底ほっとしたものだ。

(でも足や肩に怪我をしていて、親分さんは当分動けそうもないと言っていた。そんな容態で夜明けまでの間に、どうやって家から連れ出したんだろう)

そもそも丑の刻参りを利用しようという計画自体、思いつきのままにやってしまったところがある。弓月たちの突っ走った行いを、彰彦はきちんと補助し、それだけでなく危なっかしかったところを補ってくれている。

(確かに彰彦さんは使えるお人だよね。あの山根という頭領格が気に入るのも分かるよ。

優しくて気がつく人だとばかり思っていたが……どうしてどうして）

思わぬところで分かってきた、彰彦の実力だった。

（益々《ますます》知りたくなってきたな。彰彦さんが今、何をやろうとしているのか。その目的は何だ？）

弓月や青戸屋たちを裏切って、浪士たちを野放しにしてまで、やろうと思い詰めていることは何か。

今度の青戸屋の跡取り捜しと、無縁だとは思えない。何故なら、弓月たちに何一つ話さないからだ。まったく関係のないことだったら、今の状況下だから詳しくは語れなくとも、少しは説明していそうなものだった。

（きっと、誰かと関係あることだからだ）

だとしたら、一番関わってきそうなのは、またしても青戸屋だという気がする。お大尽と呼ばれる商人の財力は、それだけ桁外《けたはず》れに大きい。

（だけど、何をしようとしているのか……）

彰彦が弟の信行に似ているとすれば、お地蔵様のよりも堅い、くそ真面目な石頭で、ただの金目当てとは到底思えない。

（はて……）

弓月が考えにふけっているとき、不意にがちりと格子の方で音がした。慌てて振り向くと、山根が錠を外して座敷牢の中に入り込んで来ていた。

お気楽な感じでさっさと歩いて来ると、貧乏くさいなりには似合わぬ、見とれるほど流麗な所作で刀を抜いて、ひょいと弓月の首に押し当てる。周りにいた皆が飛び上がって後ずさった。

「何をするんです？」

伊那に同じようなことをされたときと違って、喋ることができた。だがあのときより、もっと物騒な気がする。

「神官さん、あんたが疲れていることは分かっている。でも、もう待てないんだ。一晩経ったら、また誰ぞいなくなるかもしれん。いささか遅れて、町方がやってくることも考えられる。なあ、早くに『夢告《ゆめつげ》』とやらを、やってはくれないかね」

言葉は頼んでいる形を取ってはいるが、命令そのものだった。否と言えばここで弓月を斬り殺して、子供を三人とも人質に取り、神社から消えるかもしれない。

（全員連れて行けば、それぞれの縁者の誰かがいぶかしむ。下手をすれば、読み売りの話の種になるかもしれない。何しろお大尽の跡取りのことだからね。本音としては、浪士たちもそれは嫌なんだろうが……）

だがどのみち、一人か三人かは別にして、人質は取られてしまうのだ。

（断ることはできないか……）

仕方なく頷《うなず》くと、山根が満足そうに刀を鞘《さや》に納めた。ほっとしながら、弓月は元からある問題を思いだしていた。

（まずいなあ。私は今日は、まともに夢告をすることができるだろうかね）

真面目に行っても、見えたり見えなかったりするものなのだ。最近は見えたにもかかわらず、奇妙に外れたりもしている。夢の中には血の臭いすら漂っていた。もし役に立たなかったら、弓月の首は胴体にくっついているだろうか。

（考えていても、どうにもならないか）

大仰にため息をつき、それから信行に手伝ってもらいながら、座敷牢《ろう》の中で『夢告』をする支度を始める。並べた御幣《ごへい》や笹の葉、祝詞《のりと》の書かれた経本まで、見事に白加巳神社からの借り物ばかりであった。湯立《ゆだて》に使う湯を運んで来たのは浪士の一人だ。

（この占いが、どこでもできるもので良かったよ）

清めの湯立をし、鏡の前でやおら祝詞を唱え始めた。

「青戸屋幸右衛門《こうえもん》の息子、新太郎の行方やいかに」

おごそかに、今日も大祓詞《おおはらえのことば》を口にした。続けて夢告をしているせいか、あっという間に夢の内に取り込まれる。

（さあ、息子さんはどこにいる？）

不意に、高いところから建物を見下ろしているのが分かった。大きな神社だ。空から下を見たことはないが、知っている場所だという気がした。そう、白加巳神社そのものだ。

建物が近づいてきた。これは東殿だ。中に人影が見える。座っているのは……己自身だった。

板間で一人祝詞を唱え続けている。目の前に鏡がある。あれはいつのことなのだろう。もう起こった昔なのか、これからのことか。周りには誰もいない。

(誰もいない？ えっ？ 一人もいないのか。今回も？ どういうことだ)

意味が分かって、却《かえ》って混乱した。

(どうしてだ？ 前と同じだ。前とは違う。二度見て、同じで違って私は何をしたい違うちがうちがっている……)

恐れていた血の味が、ぱっと口の中に広がる。目の前が赤くなってきた。何もかもが揺れ始める。そこに遠くから声が聞こえてきた。

(兄さん、聞こえてますか。兄さん！)

己も部屋も建物も、何もかもが大きく傾くと、吹っ飛んで消えた。

3

今回は夢から覚めるのに、弟に張り倒されることはなかった。それどころか、膝《ひざ》の上に大層優しく体を抱えられている。にもかかわらず、目の前が霞《かす》んで頭が割れそうであった。

「参った……」

かすれた声を出すと、山根が近寄ってくる。

「大丈夫か？　いきなり倒れ込むんだからな」

「一芝居、見ている気分だがね」

伊那もこちらを見下ろしながら、口の端を嫌みっぽく歪《ゆが》めている。言い返す力も残っていなかった。

「で？　どうだ。誰が跡取り息子なんだ？」

興味津々の顔が沢山、弓月の方を向いている。浪士に囲まれては、いい加減な返事はできないはずであった。今度こそ答えが分かるとでも、思っているのかもしれない。

「私一人でした」

「はあっ？」

山根が戸惑った声を出す。

「私はただ一人で、祝詞を唱えていました。新太郎さんは、どこにもいなかった……」

驚いたことに、またこの結論に戻ってしまった。三人とも幸右衛門の息子ではない。

「でも……先に見たときは、確かに新太郎を見たって……」

お栄が力のない声を出している。

「もしかして、そう言えば全員を逃がせると思って、誤魔化《ごまか》しているんじゃないだろうな」

伊那が詰問口調で聞いてくる。

「そんな……元気はないですよ」

情けない顔で返事をする。弓月は板間にひっくり返ったまま、また変わった結末に、己でも納得できないものを感じていた。

(彰彦さんが皆を集めたんだ。三人のうちの一人が新太郎さんだと思ったから、青戸屋さんに知らせ、跡取り息子を見極める会を開いた。なのに集めた子供が全員赤の他人だった、なんてことがあるんだろうか)

新太郎候補を捜したときの、元々の調べがまずかったのか。余人ならいざ知らず、浪士たちと命を賭《か》けたやり取りができる権宮司が、そんな間の抜けたことをするものだろうか。大体新太郎がいなければ、浪士たちの計画も崩れてしまう。彰彦にしたところで、立場が悪くなるくらいでは、済まない話だ。

(彰彦さんだって人だから、失敗もあるわさ。でも……何か引っかかるね)

そうと感じるのに正体が分からなかった。お栄の泣き声が聞こえてきた。弓月が一度は見えたと言ったので、まさかまたいないと言われるとは、思ってもみなかったのだろう。

(そうなんだ。確かに一度は見えたんだ。あのときは……)

弓月が横になったまま、ぼうっと考えにふけっていたとき、ふらりと傍らに山根が立った。刀を鞘ごと腰から外して、手に持っている。黙ってそれを、すいと目の高さに掲げると、思い切り弓月の腹に振り下ろして来た。

「ぐえっ……」

口からぱっと、血がこぼれるのが分かった。信行の引きつった顔が目に入る。山根がものも言わずに、もう一度刀を掲げた。弟が体を覆い被《かぶ》せ弓月を庇《かば》った。

「止めてください。死んでしまう！　それでなくても占いが続いて、本当に調子が悪いんです！」

不機嫌な様子さえ見せていない分、山根が恐ろしかった。血が口からこぼれ出て止まらない。それを見た信行が、ひっと短い悲鳴をあげている。

そのとき彰彦が山根の刀を払いのけて、弓月の口元に手ぬぐいを差し出した。

「都合の悪いことを聞いたからといって、子供のような癇癪《かんしゃく》を起こさないでください」

この言い方には、何人かの浪士が息を呑《の》んだ。だが一拍置いて、山根の口元に笑いが戻る。

「そうだな。嘘をついているのか、本当の役立たずか、見極めてもいないのに殺してしまうのは、まずい話だ」

刀が腰に戻ると、信行がほっと息をついた。血は少しずつ、まだ口からこぼれ出ている。

しかし増えてもいなかった。

「だが……その様子じゃ、すぐにもう一度占わせるのは無理だな」

あともう一度だけ、使えるかどうか見てやろうと言い残すと、山根はさっさと座敷牢を後にする。浪士たちが続いて出て行った。ほっとした途端、弓月はまた気を失っていた。

彰彦が急いだ様子で、神社の境内を突っ切っている。どこに行くのかと見ていれば、庁《ちょうの》屋《や》の横を神宮寺の方へ向かっている。

(あれ、何で私はここにいるんだろうね)

吐血したあげくに、座敷牢の中でひっくり返っているはずであった。それがこうして、外の景色を見ている。いや細かく言えば、見下ろしていた。

(うわあっ。また夢の中に取り込まれているんだ)

これでは山根に斬り殺される前に、あの世に行きそうだ。さすがにぶるりと震えている間に、彰彦は門をくぐり、神宮寺へ入っていった。玄海執行《げんかいしゅぎょう》を捕まえると、何故だか弓月の名は告げず、胃の腑《ふ》から血を吐いた者がいると言って、薬を作ってもらっている。おそらく浪士たちと共謀していることを、まだ悟られたくないのだ。

(このお人が、分からないよ)

ただ優しいかといえば、そうでもない。浪士と共謀し、その正体を隠していた。何やら己の目的にだけ突き進んでいる。かと思えば先ほどのように体を張って守ってくれる。こうして手間を惜しまず、真っ当な行いもする。まるで二人の彰彦がいるみたいだった。

(多分どちらも芝居じゃなく、本当の彰彦さんなんだろうね)

歪みを感じてしまうのは、彰彦が腹の内に『秘密』を抱えているからに違いない。

(こうして夢を見ているのなら、その秘密が分かればいいのに)

しかしただ暴走して目に映っているだけの『夢告《ゆめつげ》』は、都合の良い話を映してはくれない。ただ静かな権宮司の横顔を見せるだけだった。

ほどなく何とも凄《すご》い色の飲み薬が、出来上がってきた。錆色《さびいろ》と藍色《あいいろ》を混ぜたような感じで、人が口にできるとは到底思えぬ迫力だ。それを彰彦が、とっくりのような容器に入れている。

(あれを飲むのか……)

体に震えが走ってくる。ため息と共に、今は大層優しげな彰彦を見ているうちに……弓月はゆっくりと大きく目を見開いた。

(優しい彰彦さんと、無謀なことをやってのける権宮司)

別人のようだが、一人なのだ。そのことは彰彦の行いを目の前で見ているから、納得はする。だが。

だが、だが、もしかして！

（そうか！）

目の前から薄い膜が剝《は》がされてゆく。すとんと得心できたことがあった。

彰彦が神宮寺を出て行く。東殿に帰って行くのだろう。

（私も帰らなくては）

そう思ったとき、目の前が白くなった。弓月はゆっくりと格子の内で目を覚まし、弟の顔を見ていた。


「やっぱりもう少し、気を失っていた方が良かったかね」

板間で気がつくとすぐに彰彦が現れて、持ってきてくれた有り難い薬を差し出してきた。想像通りのとんでもない味で、弓月はまた血を吐くのではと、本気で心配になったほどだ。

それでも玄海執行の腕は確かで、胃の腑の焼け付くような痛みが、静かに引いて行く。弓月は大丈夫だからと言って、体を起こし壁にもたれかかった。皆の顔にほっとしたものが浮かぶ。

特に青戸屋は、お栄共々、よほどのこと心配していた様子だ。この集まりを開くきっかけを作ったのは己らだから、心を痛めていたに違いない。

「とにかく血が止まったのは良かった。しかし、あの山根という浪士はもう一度占わせる気でいるらしい。体に負担にならねばよいが」

　青戸屋夫婦の方は、今度こそ占いは止めようと決めたと言う。お栄には心残りもあるのだろうが、答えが色々に変わる上に、弓月に血を吐かれて驚いたに違いない。浪士らに囲まれ、今は占いどころではないのかもしれない。

「もしここを無事出られたら、子供らは三人とも、私が面倒を見るつもりです。今回の騒動の元は、私らにある。お栄もそれには異存ないようですし」

　それを聞いて、弓月はにこりと笑いを浮かべた。彰彦も頷《うなず》いている。吉也《きちや》とお福《ふく》は亡くなってしまったし、竹之助《たけのすけ》があの状態では、伊之助《いのすけ》を親の許《もと》に帰すわけにもいかないだろう。皆まだ十三だ。働いている者もいるとはいえ、しっかりした後見ができれば有り難い話であった。

「それは良いご決断をなさった。あの……もしこの先、新太郎さんが誰だか分かっても、他の二人も見捨てないでいただけますか？」

「もちろん。この青戸屋は、前言を翻すような、けちな真似はいたしませんよ」

　きっぱりと言ったのを聞いて、弓月はほっとした顔になる。すぐに表情を引き締めると、浪士たちの姿がないか確認するために、首を伸ばして格子の方を見た。それからなるたけきちんとした姿勢を取ると、幸右衛門に声を掛ける。

「あの、青戸屋さん、それから皆さんも……聞いて欲しいことがあるんです。この後、もう一度占えと浪士たちに言われるはずです。問いつめられたら、事実を隠し通せないかもしれない。皆さんにも心構えが必要でしょう。今、話しておくべきだと思うんです」

「はて、何でしょうか」

「私は……もう新太郎さんの問題で、占うことはないんです」

「それは、先ほど言いました通り、もうお願いしないつもりですから」

幸右衛門の返事に、弓月は首を振る。

「私の『夢告』は、見えないことも多くて、それで今まで、色々な方に迷惑をかけてきました」

「あの、ですから……」

「でもね、真っ白くなって見えなくなったことは多くとも、はっきり見えたことが、今回のように間違っていた、というのは初のことだったんですよ」

ここにきて、幸右衛門は黙った。何やら弓月が大切な話を始めたということが、感じられた様子だ。

「新太郎さんのことを占ったはずなのに、その姿が見えたり見えなかったりした。奇妙な話でした。占いの腕が落ちたのかと思いました。しかし……そんなことになったのには、理由があったんですよ」

格子の内は、しんと静まり返っていた。思いもかけないときに、また新太郎の話が始まったのだから。

「いいですか、思いだしてください。最初に新太郎さんのことを占ったとき、私はこう占ったんです。『幸右衛門さんの息子、新太郎さん』を、捜したいと」

二度目、その落ちて行く姿を目にしたときは、『新太郎さんはどこにいる』、そう占っていた。三回目は、一度目と同じように占った。

「兄さん、何が違うっていうんです？　私にはとんと分かりませんが」

信行の声に、真っ直ぐに幸右衛門を見つめた弓月は、真実を告げる。

「『幸右衛門さんの息子』、この言葉が占いの結果を分けたんですよ。私はいつも同じ人のことを『夢告』している気持ちでいた。でも違っていたんです。つまり、知らぬ間に別人を捜していたんだ」

幸右衛門は視線を外してしまっている。お栄の唇が震えている。

「新太郎さんは、青戸屋さんの跡取りかもしれないけれど、幸右衛門さんの息子ではないはずです。それで夢が変わってしまったんですよ」

誰からも暫《しばら》くの間、声がなかった。

「『夢告』の結果が定まらなかったのは、そのせいなのか……」

子供たちは揃って目を見開いていた。肝心の青戸屋夫婦は、顔を合わせないでいる。彰彦が呆然《ぼうぜん》としていた。

「では……新太郎さんは、誰なんです？　弓月さん、今なら分かるのですか？」

「青戸屋さんは、もう分かっておいでじゃないかと」

そう話を向けると、青戸屋は一つ間を置いた後、ゆっくりと首を振った。

「参りましたよ。さすがは権宮司《ごんぐうじ》が推挙された神官様だ。何も言わなかったものを……真実に行きつかれてしまったようだ」

「あ、あなたはあたしを……不義をしたと疑っているんですかっ！」

お栄の顔が赤い。その顔を今度は正面から見つめると、幸右衛門は静かに言った。

「私の子は、この世のどこにもいないんだよ。どうやら作る力がなかったみたいだ」

何とはなしにさみしそうな顔に見えた。だが、お栄はゆっくりと首を振り始めて、やがて激しくその言葉を否定した。

「それは……嘘ですよ。あたしは知っているんです。この人は様子が良くて、若いころ……あたしと夫婦になる前から、そりゃあもてましてね。玄人の遊び女以外にも、何人も女がいました。お福さんには子供までいたじゃないですか」

だから、子が持てないわけもない。そう言われても、幸右衛門は静かな様子だった。

「やれ、話すのなら昔のこと……お福のことまでしなくちゃならない。だが……正五郎《しょうごろう》さんもいることだしね」

ちらりと子供を見ると、反対に、話して欲しいときっぱりした返答があった。

「私は……己のことが分かりません。新太郎かもと言われたり、幸右衛門さんと母の間の子じゃあないかと思ったり。本当のところを知りたいと思っているんです！」

「……正五郎さん、お前さんには済まないと思っているんだよ」

幸右衛門が、諦《あきら》めたかのように話を始めた。

4

「以前にも話した通り、お福を世話していたのは真実だよ。あれは気が強そうな女だったが、子煩悩でね。子が沢山欲しいと言っていたのだが、できなかったのさ」

幸右衛門が関係した女は、お福の前にも何人もいた。それでも子をなした女は、一人としていなかった。幸右衛門は欲しいと思っていたのにだ。

それでお福と暮らしたころには幸右衛門にも、どうやら己には子を作る力がないと分かってきていた。気が引けることだったと言う。

だから、なかなか幸右衛門が妾宅《しょうたく》へ通ってこない暇を埋めるかのように、お福が男のつまみ食いを始めたときも、すぐに気がついたが黙っていた。

「ある日お福に子ができたと言われたときは、喜び半分、疑いが半分だった。ここまで子に恵まれなかったんだから、落ち着いて考えれば、己の子ではないと分かりそうなものだった。だが、それでも期待してしまうのが男なんだね」

お福は子を、酷《ひど》く早産で産んだ。だが二月も早く生まれたはずの子は、小さくもなければ、ひ弱でもなかった。思わず産婆を問いつめると、口を濁している。期待していた分、余計にがっかりとした。

「そのときの赤子が、正五郎さんだ」

どうやら赤子の父親は別にいるらしいと、渋々納得したころ、今度はお栄に赤ん坊ができたと言われた。

「これには、考え込んでしまったよ」

おそらく、こちらも己の子ではないと思われた。このとき幸右衛門は商売でもやったことのないような、大きな、一生分の決断を迫られたのだ。

これから誰と、どう暮らしてゆくか。

「まず、まとまったものを渡して、お福と別れた。赤ん坊にはまだ名前も付けていなかったな。それくらい、してやれば良かったものを、私も意地になっていたのかね」

その金を元手に商売でもして、子の父親と暮らすよう、お福に言った。

「だが、最後まで赤子は私の子だと言い張って、折れなかったがね」

それで今度の新太郎捜しに、やって来たのだろうと思った。多分正五郎はあのときの赤ん坊だ。

だが、子供が入れ替わっているかもしれないと、頭に浮かんだ。安政の大地震で、お福が我が子を失ったとしたら。その後に新太郎を引き取ったとしたら。お福は青戸屋の子供と承知で、店には帰さなかったかもしれない。そう思って迷ったのだ。

お福とはきっぱりと切れた幸右衛門だったが、もう一方の話、お栄と赤子のことを考えるのはもっと苦しかった。お栄とも別れるか。青戸屋を捨てるか。それとも子供だけを養子に出すか。受け入れて、己の子として育てるか。

「私は商売が好きでね。青戸屋に未練があった。お栄にはもっと執着があったんだ。それだけに、誰かの子を身ごもったことが許せない。いっそ殺してやろうかとも思った……」

はっきり言われて、お栄が幸右衛門の顔を見つめている。穴の開くほどに、ただ見ている。

「でも、養子の私に子ができなかったのが、元々の原因だ。今子供を養子に出したとて、そのうち親戚《しんせき》連中から、別の養子を取れと言われるのは分かっていた。ならば家付き娘のお栄の子を、跡取りとするのが当然だと思えてきた。そう思い切るのに、半年ほどかかったけれどね」

だから黙って、お栄が新太郎を産むときを迎えた。だが赤ん坊の顔を見ても、どうにも可愛いと思えなかったという。似ていないところばかりが目に入る。そんな己が嫌になった。

ところが。よたよたと這《は》いずるようになると、新太郎は幸右衛門によくなついてきた。姿を見ると、嬉《うれ》しそうに寄ってくる。そうなると不思議に可愛くなってきた。父親だという気持ちが湧いてくる。母となったお栄には男の影もなく、すっかり落ち着いた一家になったのだ。

「そのとき、きっと新太郎の良い父になろうと決めたんだ。そうでなければならない。子供のいなかった私に、神仏が恵んでくださったのだから」

でないと、子の親が誰だか気になってしまう。知りもしない誰かと競うことになる。親とは何なのだろうと、鼻先に突きつけられた思いの先に、毎日の営みがあった。子守に任せてはいたが、なるたけ多く息子と毎日を過ごすようにした。女たちとも切れ、数年経った。

そんなとき、あの地震が起こったのだ。

「私は店にいたんだよ。体が浮いて、立っていられなかった。それでも転げるようにして店から出たら、瓦《かわら》が山ほど降ってきて怪我をしてしまった」

店も土蔵も崩れて、とんでもない被害が出た。更に怖かったのは、こういうときに付き物の、火の手があちこちで上がったのだ。

「風がなかったおかげで、酷く焼け広がりはしなかったが、そんなことが分かったのは後になってからの話だ。建物の下敷きになった人は多かったよ。そこに火が移ったらと思うと、顔が引きつった」

とにかく家の者、店の者の無事を確かめた。お栄は無事ですぐに見つかったが、どうしたことか新太郎がいない。

「子守がついて遊ばせていたはずなのに、二人とも姿がない。もしかして潰《つぶ》れた土蔵や、屋根の落ちた辺りの下にいるのではないかと、お栄は半狂乱だった」

火が移る前に捜さなくてはならない。幸右衛門は火が恐ろしかった。子供のころに火事にあって、火傷《やけど》を負っている。身内を亡くしている。火事が何をするのか、いかに悲惨なことになるか、身に沁《し》みて分かっていた。

「ところが無事だった店の者と捜しても、新太郎が見つからない。もしかしたら外にいたんじゃないかと思い至ったときには、かなりの時が経っていた」

何人かで手分けして捜しに出た。案の定火事が起こっていて、崩れた家屋が燃え始めて、息も苦しい状態だったという。暫《しばら》く歩いた先で、幸右衛門は火に阻まれ先に行けなくなった。煙が立って、周りがぼやけて見えていた。戻ろうときびすを返したとき、息子の声を聞いたような気がしたのだ。

「火の向こうから、だと思った」

顔が引きつった。幸右衛門は先に進める自信がなかったからだ。昔火事にあったときからずっと、火が、足がすくむほどに怖い。本心を言えば、行灯《あんどん》に明かりを点《つ》けるのすら好きではなかった。

「そんなこと、言い訳にもなりゃあしない。地震で崩れた場所で、子供が助けを呼んでいるんだ。親だったら己が怖いなんて言うはずもない。分かっていた。それが当然なんだよ。それでも足が動かなかった！」

真っ先に、己が実の親ではないから、こうなのかと思った。実の子だったら、目の前の火を越えられるのではないかと。

「可愛がっているなどと、ご大層に思いながらもこの程度かと。しかしどう思っても足が前に行かない。息が苦しくなる。進めない。惨めだった。体が震えたよ。これでは子供を見殺しにしてしまう。いや、殺すのと同じではないかってね」

そのとき、近くから別の大きな声が聞こえた。

「坊、大丈夫か？」

それに答えるように、新太郎の泣き声が煙の向こうで大きくなる。声の主は男らしいとは分かったが、煙ではっきりとはしない。だが若い声だった。更に続いた声に、幸右衛門は飛び上がった。

「あたしがお前のおとっつぁんだよ。助けに来た。迎えに来たんだ」

驚いた。男は新太郎の実の父親らしい。

子供が生まれたことを承知していて、今まで見守っていたのかもしれない。地震が起きたので、新太郎の様子を見にきて子供を守れていない青戸屋に腹を立てたのだろうか。子を取り戻す決心をしたのだろうか。きっと……そうだ。

（つ、連れて行かないでくれ）

日ごろ乳母や子守に世話をさせている。たまにしか遊んでやれない。でも！　連れ去らないで欲しい。

そう思ったが、父だと見得《みえ》を切るのなら、やるべきことができなくてはならない。火事の中の子を救えないような奴を、信用できるはずもない。

（私はやっぱり、あの子の親じゃないのか。育てる資格もありはしないのか）

煙が一層濃くなってきている。右手に火柱が立った。息が苦しい。

（怖い、怖い、火が……火が……）

「よし、ちゃんと摑《つか》まっているんだぞ。今外に出してやるからな」

声の主は迫ってくる火などないかのように、落ち着いて子供を助けている様子だ。このままでは一人息子を失ってしまう。二度と会えないかもしれない。そう思ったとき、足を踏ん張れた。

「新太郎。待っておくれ。行かないでくれ。おとっつぁんだよ、新太郎！」

あまり燃えていなさそうなところに向かって遮二無二、突っ込んだ。一時煙が目の前で分かれて、新太郎を背負った男の背中が見えた。止めようと手を出したとき、崩れた瓦礫《がれき》につまずく。思い切り転んだ先が熱くて、悲鳴をあげた。

「そのとき、男の小さな笑い声を聞いた気がしたよ。起きあがって必死に体から火の粉を落としたとき、もうその男も新太郎も側にはいなかった……」

煙だらけで、どちらに消えたかも定かではない。

「火を怖がって、助けられなかったからだと思った。私が実の父ではないからだと」

親になる決心だった。ちゃんと可愛がって育てているつもりでいたのに、どうしてこんなことになったのだろう。焼けこげの中に座り込んだ。惨めさに涙がこぼれてくる。そんな己が、更に嫌でたまらない。顔がぐしゃぐしゃになっていった。

(新太郎……新太郎……)

もう子供は帰ってこない。己のせいだと思った。父親になりきれていなかったから、神仏が取りあげたのだと、そんな気がした。

「あちこち火傷を負った姿で崩れた店に帰ったとき、一人だというので、お栄に金切り声を出されましてね」

ちゃんと何が起こったのか、言うつもりだったのに。その声に押し出されるように、口からは別の言葉がこぼれ出ていた。

新太郎は見つからなかった、と。

「私が止めたにもかかわらず、男は新太郎と共に消えたんだ。火事が収まっても、青戸屋に子を返しに来るとは思えなかったし、実際来なかったよ」

だから、あの日真実をお栄に伝えても、新太郎を取り戻せたとは思えない。しかし。

「お栄に、あの子は生きていると言うことは、できたはずだった」

何故言わなかったんだろうと、口の端を歪《ゆが》めて、青戸屋は妻を見つめている。お栄は呆然としたまま、口をきけない様子だった。

「あの男はお栄と別れていたはずだから、男手一つで幼子を育てたか、それとも……誰かきちんと育ててくれる女に託したか。多分自分で育てただろう。だから吉也さんか、竹之助さんが、お栄の昔の男だとは思いましたがね」

短く吸い込むような息が聞こえてきていた。お栄だ。

「あの人には……子ができたかどうかは知らせていない。すぐに別れました。その代わりまとまったものを渡すから、望み通り上方《かみがた》へ行って、料理の修業をすればいいと、そう言ったんです。あっさりそれを承知して消えた。短いつきあいでしたよ」

ずっとあの後、上方にいたのだと思っていた。だからあの男を彰彦が、新太郎候補の親として青戸屋の前に連れてきたときは、腰が抜けるほどに驚いたという。

「新太郎が行方知れずとの話を聞いて、男が金目当てに別の子をでっち上げ、連れてきたのだと思いました。青戸屋の話には詳しい男です。出入りの小間物屋《こまものや》だったのだから」

ここで幸右衛門の目がすっと細められた。誰だか分かったのだろう。

「あたしは子供が欲しかった。幸右衛門が……余所《よそ》で子をなしたと聞いて、焦ったんです。どうしても産みたかった」

亭主を取られた。妾《めかけ》に、先に子を産まれた。腹が立つ。うらやましい、妬《ねた》ましい。もう……死んでしまいたい。そう思ったと、俯《うつむ》いて語る声が細い。

「小間物屋……ということは、武士ではない。実の親は吉也さんなんですね。つまり」

捜していたその子は、今目の前にいる。

「『新太郎さん』は、清吉《せいきち》さんというわけだ」

弓月が辺りを憚《はばか》るように、そっとその名を告げた。

第七章

1

座敷牢《ろう》の中でお栄《えい》は両膝《ひざ》を立てて、立ちつくす清吉《せいきち》を押しいただくように抱きかかえている。暫《しばら》くの間、押し殺されたような泣き声が続いていた。

清吉の方はいささか呆然《ぼうぜん》としている。己が生まれる前に、親たちの間に交錯した様々な物語は、その手には余るのだろう。

それでも。じわりじわりと、目の前で泣いているのが、産みの母だと感じてきたのかもしれない。硬かった顔つきがゆるんできたと思ったら、頼りなげな、泣きそうな表情になっていく。

暫くしてから、今度は幸右衛門《こうえもん》がすいと手を伸ばした。清吉の肩に触れる。

「やっと戻ってきたな」

そう言うと柔らかく背中を叩《たた》いている。吉也《きちや》というもう一人の『父』がいたせいか、父と子の方はどちらもまだ、ぎこちなくて言葉少なであった。

「これからは、一緒にいられますね」

弓月《ゆづき》は『夢告《ゆめつげ》』を頼まれた問題が一応の結果をみて、ほっとした表情を浮かべた。青戸屋にとって、全ては今日からまた始まるのだ。

そこに、腕組みをして立っていた彰彦《あきひこ》が、落ち着いた声で問題を指摘してきた。

「まだどなたも、気持ちが落ち着いていないでしょう。ですが余り時がないと思うのですが。こうと分かった以上、早く逃げ出さないと、清吉さん……いえ、新太郎《しんたろう》さんでしたっけ、人質に取られてしまいますよ」

それだけではない。要らなくなった人たちの身も、危うくなってくるだろう。言われて一同は、夢から覚めた様子で顔を見合わせた。

「親分さんだけは、何とかここから出せましたが……もう同じ手は使えないですよね。浪士たちも用心しているだろうし」

少しばかりおろおろとした信行《のぶゆき》の言葉を、弓月が止めた。板間に座ったまま、厳しい顔つきで彰彦を見上げる。

「ここから先の話は、聞かないでいただけませんか。また何かあったら、浪士たちは彰彦さんを問いつめるでしょう。お互い何も知らない方が良いと思いますが」

暗に出て行ってくれと言ったのだ。ところがその言葉を無視して、彰彦は座り込んだ。

「権宮司《ごんぐうじ》？」

「皆さんが逃げるのに、協力してもよいですよ」

にこりと笑いながら言われた。あっさりと申し出られて、弓月たちは顔を見合わせる。

「でも……権宮司。あの浪士たちは、邪魔だとなったら、あなたでも斬り殺しかねませんよ。それでなくとも、親分さんの一件で疑われているでしょうし」

青戸屋《あおとや》が不安そうな声を出して、まだ晒《さら》しが巻かれている彰彦の腕に目をやった。弓月にしても、彰彦の真意を測りかねていた。

「こんなに危ない状況になってから、助けてくださると言うのですか？　ならば何故、浪士たちに力を貸して、我らをここに集めたのです？　ただでは済まないと分かっていたはずです」

「彼らに協力するようにと、宮司に言われましたんでね」

「…………」

そんな理由で、この彰彦が動いたというのだろうか。

「だが確かに、私にとっても危険なことは事実です。だから皆さんを逃がすことができたら、私の頼みを聞いて欲しいんですよ。それが協力の条件です」

(来たな)

咄嗟《とっさ》にそう思った。彰彦が浪士に協力した大本の理由があるはずなのだ。この言葉が出るのを、今か今かと待っていた気さえする。さて、何を言い出すかと待ち受けていた弓月の鼻先を、彰彦の指が指し示した。

「細かいことは後で説明します。だから、協力を約束したことだけは覚えておいてくださいね、弓月さん」

「私をご指名ですか？」

目を見開く。これは意外な成り行きだった。用があるのはてっきり、金も力もある青戸屋だと踏んでいたのだ。

「あの、覚えていろと言われても……まだ何も言っていませんが」

信行が呆《あき》れた声を出している。再び笑った彰彦が、確かにその通りだと言う。何だか段々と権宮司の性格が、わけの分からないものになってゆく気がしてくる。

「でも今、他の話をしている暇はありません。逃げるなら、次の占いをしろと浪士が言ってくる前でなくては！　すぐに脱出法を考えるべきです。私も早々に見つかって、殺されるのは嫌ですからね」

確かにまだ逃げられるかどうか分かっていないのに、その後のことを心配しても始まらないだろう。逃亡に失敗すれば、用なしの弓月など、刀の試し斬りに使われかねない。

「力添えを申し出てくださったということは、権宮司、何か心づもりがおありかな？」

青戸屋が冷静な顔で聞いてくる。夫婦の周りに子供らを集め、庇《かば》うような恰好《かっこう》だ。

彰彦は懐に手を突っ込むと、いつの間に用意したものか、一枚の紙を取り出し皆の前の板間に広げた。白加巳《しらかみ》神社を描いた絵図のようであった。

「ここが正面の大鳥居です。神門はその先、灯籠《とうろう》は中央の参道脇、狛犬《こまいぬ》の奥に拝殿、本殿。庁屋《ちょうのや》は神門を入って右、灯籠の奥、藤棚の先です」

庁屋と本殿の間、やや塀寄りに、今入れられている東殿がある。その東に東門や池、木立や塀が描かれていた。

「以前山根《やまね》が親分さんに言ったことを、覚えてませんか。岡っ引きを斬り殺して、東門脇の池から外に流してしまうつもりだったと、話していたでしょう」

彰彦も、その言葉で思いだしたのだという。確かに境内にある池と、外にある堀とは、繋《つな》がっているのだ。

「池に水を取り込むため、塀の下に石を組んで、堀に繋がる大きな穴を開けてあるのです。塀はそんなに厚くはない。死体が出られる場所なら、生きていたってくぐれるはずです。ずぶ濡《ぬ》れにはなりますが」

神社の外へ出られさえすればいい。そうすれば彰彦が舟を調達して、堀に用意しておこうという。そこから大川へはほど近い。舟でなら逃げられるはずなのだ。

「問題は東門近くの池へ、どうやって行くかということですね」

鍵《かぎ》をかけ直しておいたおかげで、信行の簪《かんざし》はまだ奪われていない。座敷牢からは出られる。危ないのは、今いる東殿から東門までの僅《わず》かな距離だ。東殿の外は岡っ引きの一件の後、一層厳重に浪士たちが見張っている。疑われている彰彦が誘ったところで、持ち場を離れるとも思えない。

「どうしたらいいのか……」

弓月は唇を嚙《か》んだ。逃げ出してもし見つかれば、その場で何人かは殺される。すぐに逃げる方法を思いつかなければ、新太郎は人質に取られ、青戸屋の身代はふんだくられ、やっぱり半分は殺される。しかも考えている余裕は余りない。

「何となく、お先真っ暗ですよね」

正五郎《しょうごろう》が笑うような、泣くような顔で言った。まだ十三だ。心細いのかもしれない。その体をぐいと青戸屋が引き寄せる。弓月が壁にもたれながら、きっぱりと言いきった。

「私がもう一度、夢告《ゆめつげ》をしましょう。皆で逃れるにはどうすればいいか、占います。分かったら、それに従ってみてください」

「兄さん、さっき血を吐いたばかりじゃないですか！」

「大丈夫だよ……きっと。それにこのままだと、私だって斬られて死ぬことになるし」

納得しかねる表情が弟の顔に浮かんでいる。しかし、止めても死ぬしかないとあっては、それもできないのであった。

「それよりも、有り難い結果が出るよう祈っていておくれ。見えなかったり、抜け出る方法がないと分かることも、ありえるんだからね」

「あの……湯立《ゆだて》の湯や、鏡、御幣《ごへい》はどうするのですか？　権宮司がそんなものを運び込もうとしたら、今回は見つかってしまうかも」

お栄の心配に首を振ったのは、何と彰彦だった。

「大丈夫。弓月さんは何もなしでも、きっと『夢告』くらいおできになります。そうですよね？」

「鏡はありますから、何とかなるでしょう」

懐から大事の神鏡を取り出して見せる。

（ときどき知らぬ間に、夢に飛び込んでいるんだから、今だってできるはずだ。だけど彰彦さんが何故、それを承知していなさるのかね）

このところ『夢告』を続けているので、普段よりも夢に入りやすい。そう言い訳しながら、弓月は早々に占いをする態勢に入った。壁に鏡を立てかけると、息を整える。その姿を座敷牢にいる面々が、固唾《かたず》を呑《の》んで見守っている。

「浪士たちに捕まらずに、白加巳神社から出てゆける方法は？」

暗い部屋の中に、祝詞を唱える声が小さく聞こえ始めた。

「兄さん本当に、『ほっきょっきょ、くー』なんて鳴き声の鳥がいるんですか？」

「私にはそう聞こえたんだけどねえ」

口の中に血の味がしたものの、弓月《ゆづき》が死ぬこともなく占いを終えて、一時《いっとき》ばかり。座敷牢《ろう》からは、既に彰彦の姿が消えていた。舟を調達しに行ったのだ。

浪士たちは暗くてよく見えない部屋の内ではなく、表で東殿を見張っていた。彰彦《あきひこ》は出て行くとき座敷牢を施錠し、浪士の一人に確認させた上で鍵を返した。だが人が去ると、慣れてきた信行《のぶゆき》は早々にまた、簪で開けてしまう。あとは……奇妙な鳥の鳴き声を、一同で待っているところだった。

『夢告』で、抜け出す機会ありと出たのだ。

夢の中で弓月は、東殿周りに何人もの浪士がいるのを、高いところから見下ろしていた。

（これでは抜け出すことは無理か）

眉根《まゆね》を寄せていたとき、暗い木々の中の梢《こずえ》で一声鳥が鳴いた。その声を合図にしたかのように、突然浪士たちが動いたのだ。

様子を察するに、誰かが神社内に入り込んできたらしい。今度こそ本物の丑《うし》の刻参りだろうか。四人が庁屋の方へ駆けて行く。もちろん浪士は二人ばかり残ったが、東殿は広い。その人数が相手ならば、目につかずに建物を離れることができそうであった。

占いの後この言葉を聞いて、彰彦をはじめ、一同感嘆の目で弓月を見る。ところが、その後が少々尻《しり》すぼみであった。

「もちろん池の脇にある東門にも、浪士たちがいるはずです。脱出するには、ここが一番難しいところなんだけど……どうしたわけか、東殿を出た後のことを、覚えていなくて」

見えたことがあったのに、夢告から放り出された後、分からなくなってしまったのだという。

「どうも私自身が関係していたようです。元々己が出てくる夢は、余りよく見えないんです。『夢告』とはそういうものらしくて」

それでもせっかく見た分は、大事にしなくてはもったいない。東殿を出られるだけでも、大したものであった。ほどなく夜の中を、はっきりとした鳥の声が抜けて行く。誰もがさっと緊張した顔を上げた。似たような感想を口にする。

「くわっ、くわっ、くー、くー、って聞こえましたけど」

「新太《しんた》郎《ろう》や、こきょこきょこきょう、じゃないかね」

「こうこうこう、ですよ。じゃなくて、行きますよ」

信行がじれて促した。浪士が残ったのは、庁屋の側と東門に向いた側だった。裏参道に面した側には、別の浪士が見回りに来そうだ。一同は是非もなく、座敷牢から出ると、参道の方を向いた明かり取りの小窓から、一人ずつ外へ出る。体を低くして回廊を小走りに歩み、次々と下の石畳へ下りて行った。

ところが。

何とか全員が建物から出たころ、余りにも早々に、北の裏参道の方から、近づいてくる足音が聞こえてきてしまう。皆の顔が引きつった。

「まずいですよ、これは！」

東には戻れない。南には浪士がいる。暗い中、揃って必死に足音を殺しながら、西に逃げた。玉砂利《たまじゃり》を踏み、狛犬の脇を通り抜け、拝殿脇の瑞垣《みずがき》の内に逃げ込む。大人四人、子供三人だから、今にも音が立ち、気づかれてしまいそうだ。忍んで行う行動は危うく、冷や汗が浮き出てくる。神様が特別な慈悲でもって見守ってくださるよう祈りながら、とにかく暗がりに身を潜めた。

そのとき！　聞きたくもなかった言葉が、耳に飛び込んできた。

「逃げたぞ！」

夜でも憚《はばか》らない、大きな足音が連なってゆく。一時途切れたと思ったら、またあちらこちらから聞こえだした。

「手分けして捜しているみたいですね」

弓月たちに逃げられたら番屋に駆け込まれてしまう。浪士たちとしても、事の成否が懸かっている。死にものぐるいの捜索だろう。

たまたま弓月たちは、行きたい先の東門から離れてしまった。拝殿は他の門からも遠い。適当に逃げ込んだのに、見つからずに済んでいるのはそのせいだろう。しかし。

「いつまでもここにいるわけには、いかないだろうね。夜が明ける前に、何としても東門から抜け出て、堀にいるはずの舟に行きつかなくては」

逃げるのなら暗いうちだと、幸右衛門が言う。皆、分かっているからその言葉に頷《うなず》くが、誰も立ち上がらなかった。いや、立ち上がれないのだ。ここから先のことには夢告の保証がない。

「どうしよう……怖い……」

震える声は、正五郎のものだ。浪士が怖い。刀が怖い。見つかれば今度こそ斬られる。浪士たちは皆に逃げられて、頭に来ているだろうからだ。だから動けないでいる。

青戸屋が、子供らとお栄に目を向けた。

「いざとなったら私が盾になっても、お前たちだけは逃がしてやるから。心配するんじゃないよ」

子らは頷いたが、それでもいつものようには、足がいうことをきかない様子だ。これでは無理矢理先に進んでも、どこかでとんでもない音を立ててしまいそうだ。見つかったら、逃げることもできずに動けなくなるかもしれない。

(私だって怖いよ。参ったね)

弓月はちらりと弟を見た。信行はこんなときでも、落ち着いているように見える。そこが大したものだと思う。

(信行がいてくれれば、清鏡《せいきょう》神社は安泰だ)

弓月は意を決した。

「このままじゃあ、とても東門には行きつけません。見られるかどうかは分かりませんが……もう一度だけ、占ってみましょう」

「もう一度、もう一度だけと、何回言ってるんですか」

怒った信行の声がする。

「兄さん、よしてくださいよ。さっきの一回だって無茶だったんだから。また血の臭いがしてますよ。調子が悪いんじゃないんですか。もう無理はききません。止めてください」

腕を摑《つか》まれる。その感触に、弓月ははっとした。似たような感触を覚えている。つい今し方……夢告《ゆめつげ》の中でのことだ。

「先ほど見た夢告の続きが……何となく分かってきたよ。今と同じで、酷《ひど》く怖かった。あれは私が逃げていたからだ」

段々はっきり思いだしてくる。夢告の中で弓月は一人、夜の境内を走っていた。そして、ときどき「うわっ」とか、「くそ」という声を鋭くあげていたのだ。

（私は一体、何を考えているんだ。こんなに声をあげたのでは、いる場所を掴まれてしまう）

「逃がすなっ」

後ろから伊那《いな》の声がした。足音が追ってくる。初めは一つだった明かりが、すぐに二つになり、三つに増え、あとは数えきれなくなる。多くの浪士に追われていた。弓月を逃がさないつもりなのだ。夜の中を更に、先に先に急ぐ。密生した木立の作る闇に突っ込む。おかげで僅《わず》かばかり追っ手を引き離せた。

しかしそうとなると、こちらも足元が暗くて危なっかしい。木の小枝を手で払い、砂利を蹴飛《けと》ばして行く。参道を横切る。後をついてくる足音が段々と大きくなっていた。

「やった……！」

思わず言葉がこぼれ出てくる。

（……？　私は、何をやったというんだろうね）

己の行動が、今一つ理解できない。しかし、考えてばかりもいられなかった。夜の中、明かりに追いつかれてしまいそうだ。顔が引きつる。それでも確かに別の気持ちも表に出てきていた。

口元に、僅かに笑みがあった。

「ここで斬られるかもな。もう……奴らが来るまでに、幾らもない。怖いねえ……本当に！　私はやっぱり気が小さいよ」

息を切らしつつ喋《しゃべ》りながら走ると、息があがってくる。それでも必死に逃げる。

「斬り殺されるまでに、少しでも時を稼がねば……」

もう一度振り向いた。心の臓が大きく跳ね上がった。覚悟を決めなくてはならないときが、背に張り付いて来ていた。

「信行、逃げたかな」

足がもつれて、体が大きく傾ぐ。顔が引きつった。そのとき、弓月は息が止まるほど驚いていた。

腕を摑まれていた。倒れぬよう支えられていたのだ。

「こっちです……」

闇の濃い茂みの間から現れたのは、夜目にも白い手だ。

「早く！」

弓月は手を引かれ、横手の木々の間に引き込まれて行く。

「私以外にも、誰ぞこっちに来た人がいたんですか？」

焦る声に、「しっ」と、短い叱責《しっせき》がなされる。益々《ますます》驚いた。短すぎてよく分からないが、この若い声は、少なくとも青戸屋ではない。

（どういうことなんだろう。この後どうしたら……）

わけは分からぬが、それでも恐怖から誘われるままに進んだ。木の下にまでは月光はほとんど届かず、辺りは闇一色だ。そのままどこかへ落ちて行きそうな暗闇であった。本当に足の下に何もないみたいに感じる。

（酷く心許《こころもと》ない感触がする）

もしかしたら本当に、ずぶりと地面を踏み抜いてしまったのかもしれない。だから、落ちるのだろうか。いや、もう落ちている。

（どこへ？）

どこまでも、どこまでも、限りなく下へ。

長い長い時が過ぎているように感じた。その間に、今見て聞いたことの意味がすとんと腑《ふ》に落ちてきた。

決心できたこともあった。

3

（ぐっ……）

思いだしただけで吐き気を覚えて、口元を押さえた。急に黙ってしまった弓月を、皆が心配そうな顔で見てくる。瑞垣《みずがき》に身をもたれかけさせ、吐き気を呑《の》み込んでいると、幸右衛門が不安げに小声で聞いてきた。

「大丈夫かの。どうしたのですか？」

信行の方は、小指の先ほども無事だとは思っていない様子で、膝《ひざ》をついたまま弓月に怖い顔を向けてきている。本気で心配しているのだろう。弓月は何とか笑みを作った。

「先ほどの夢告の続きが、分かったんですよ。良い知らせがあります。何とか浪士たちを他に引きつけて、その間に池から抜け出られるかもしれない」

その言葉に、ぱっと皆の顔つきが明るくなった。一人、信行だけが眉《まゆ》をひそめている。

「浪士を引きつけるって……どうやってやるんです？　私には方法が思いつかないんですが」

弓月の「夢告」に慣れている分、信行の指摘は鋭かった。

（方法を話せば、またお小言が降ってくるんだろうね）

だが、言わずには何もできない。仕方なく弓月は、夢で何を見たかを口にした。

「兄さんが囮《おとり》になって、浪士たちを引っ張ってゆく、ですって？」

信行の目が吊り上がるのが、夜の中でも分かった。

「ここのところ、何としてでも死にたい気分になっているみたいですね。いにしえの若死にした英雄にでも、取り憑《つ》かれているんですか」

厳しい言葉を口にするのも、心痛の表れだろう。弓月は言葉を選びながら、ゆっくりと声を掛けた。

「あのねえ、信行。逃げられる方法を見たいと願って、占った夢なんだ。その夢告の中で、私が囮になっていたとしたら、助かるにはその方法が一番なのだと思う。やってみなくては。このままずっと、ここにはいられないだろう？」

だが、弟は頑固な顔つきをするばかりで、返事をしない。何故に弓月が囮にならなければいけないのか、納得がいかないのだろう。すると横から幸右衛門が口を出してきた。

「弓月禰宜《ねぎ》、もし囮さえいればよいのなら、私がその役を買って出てもいいですよ」

「お、お前さん！」

お栄が思わず大きな声をあげた後で、慌てて口に手を当てた。三人の子供たちも、大いに不安げな顔で幸右衛門を見ている。

「私は……今度こそ、子供を守る。お栄を守る。ひいては青戸屋を守ってみせる。もうあの地震のときのように、失敗はしない」

その顔は瑞垣の作る陰の内から、見えない浪士たちを睨《にら》み付けているかのようであった。

「何もできず終《じま》いだったあの日を、今、取り返したいのかもしれない。私はちゃんとお前たちの父親で、夫で、店の主人でいたいのさ」

この言葉に、お栄が幸右衛門の袖《そで》を掴んだ。持っていないと、今にも飛び出して行って消えてしまうのではないかと、疑っているようだ。

「何で今更そんな風に、言い出すんです？ やっと新太郎が帰ってきたのに。やっぱりお前さんは、もう何もかも嫌になったんじゃないんですか。あたしのことも、店のことも。だから青戸屋をたたむと言い出したんだ。そうなんでしょう？」

それを聞いた幸右衛門は、ふっと厳しい顔をゆるめた。辺りを窺《うかが》った後で、お栄に思っていたことを語り始める。

「こんなことは口にしただけで、手鎖でも掛けられそうだから、お前にも黙っていたんだが……。いいかい、私は本気で商売を替えるつもりでいるんだよ。そのために、一旦《いったん》店をたたもうとしているんだ」

「商売替え？」

この答えには、皆が驚いた顔を浮かべた。天下にその裕福さを知られる札差《ふださし》だ。なろうと思い立っても、なれるものではない。それをあっさりと捨て去るという。

「札差をやめたら、そこいら中から理由を聞かれるだろう。だが、私は言いたくはないんでね。ならばいっそ、子供のことを口実に一旦《いったん》廃業して、株を手放してしまおうかと思い立ったのさね」

それならばもったいないと言われはしても、妙な疑いを招くことはないだろうと言う。本心引退する気はないとの言葉に、お栄は皆が聞きたいに違いないことを口にした。

「どうして……何をやりたいんですか。今以上に儲《もう》かる商売はないと思うんですが」

「私はね、皆が思っているよりも、世の中が変わるのは早いと踏んでいるのさ。これでも世の流れを摑むのはうまい方でね。お武家が米で禄《ろく》をもらう今のやりようは、早晩崩れる。だとしたら、札差が一斉に他の金儲けに鞍替《くらが》えする前に、これから一番儲かりそうなものに、手を出しておこうと思ってね」

既に万金を持っていると噂される身でありながら、青戸屋の商売熱心なのは頭が下がるほどであった。これならどんな商売に鞍替えしても、大いに金を稼ぎそうだ。

「そういうことなら、そうと言ってくだされればいいじゃありませんか」

「言ったろう。お上《かみ》の耳に入ったら、青戸屋は取り潰《つぶ》されるかもしれない話だ。黙っているのが一番だったんだよ」

「あの……どうして商売を替えるだけで、そんな目に遭うと言われるんですか？」

おずおずと言い出したのは、伊之助だ。これに答えたのは弓月だった。

「江戸でも聞こえた札差が、その商売の先がないと言いきるということは……つまりは武士への俸禄の支給が終わると、青戸屋さんが思っていることになる。上に立つ方が交代すると言ったのと、同じなんですよ。幕府がなくなると」

間違いなくしょっぴかれそうだと弓月が保証すると、幸右衛門が苦笑している。罪人として幸右衛門が捕まるくらいでは、済みそうもない話であった。店が取り潰された上に、全財産没収ということになるかもしれない。

「お前たちにまで、累が及ぶかもしれない。このことは、これからも絶対に口にしてはならない。いいね」

子供らは素直に頷《うなず》くが、お栄は下を向いたまま硬い顔を見せていた。

「これから世が変わる、商売も替えるとおっしゃるのなら、ここで斬り殺されては困ります。青戸屋にもあたしたちにも、あなたは必要です」

「いらない者など、この世にはいはしないよ。しかし誰かが、皆を逃がす役目を引き受けなくてはならないようだ」

何としてでも子供らとお栄は逃がしたい。それが今一番の己の欲なのだと、幸右衛門は言う。しかしそれでも、お栄は頷きはしなかった。

「浅ましいと言われても、あたしはあなたにだけは行って欲しくない……」

言った端から顔を伏せ、涙をこぼし始める。泣き声と二人の話を、横から弓月が止めた。

「あの……夢告《ゆめつげ》の中で逃げていたのは私です。他の人では早々に捕まってしまい、計画がうまくいかないのかもしれない。ただでさえ不確かなところのある占いです。夢で見たままをやるのが、一番でしょう」

「ならば私も行きます。一人より二人の方が、浪士たちを引きつけやすいはずだ」

信行が断固とした口調で、口を挟んできた。それに弓月が、深い深いため息で応じる。

「信行……お願いだから少しばかり後のことも考えておくれ。小さいが、清鏡神社にだとて跡取りは要るんだよ。それに青戸屋さんがおっしゃるには、これから世の中がとんでもなく変わるという。そんな中、父上を一人にはできないだろう」

もうとうに母はいない。この先父には子供が頼りなのだ。

「いつの間に、己の意見を通すのが、そんなにうまくなったんですか」

その言葉には、苦笑を返すしかなかった。信行にまで泣き出されてはかなわない。泣いている姿なぞ、とんと見たことがない弟の涙なんか見たら……。

不思議なことに、気の小さいはずの己の決心が、その涙で固まったように感じられた。

「大丈夫だよ、信行。私が怖がりなことは知っているだろう。だから一生懸命逃げるさね。斬られるのも嫌だし、死ぬのもごめんだ」

だから、ちゃんと逃げるから、お前は青戸屋夫婦を助けて、子供らと何とか無事に外に出て欲しい。弓月の話に信行は、今度は黙ってきつく袖の端を摑んできた。もう言葉が浮かばないのだろう。ただただ、しがみついてくる。

それにどう返したらよいのか思いつかないまま、弓月は久しぶりに弟を抱きしめてみた。するとは、珍しくも嫌がらない。

「まるで、今生《こんじょう》の別れみたいだね」

少し笑ってそう言うと、蹴飛《けと》ばされた。不思議と痛く感じない。言っておかなければならないことがあるはずなのに、頭に浮かばない。ただ、せめてもう少しの間だけ手を離したくないと、身を寄せたままでいた。

4

「とにかく、見つからぬように、東の池に行きつくこと。その後は冷たいだろうが、なるたけ音を立てないように水に入って、塀の下をくぐるんだよ。大丈夫だ。堀へ抜ければ権宮司が待っていてくださる。すぐに舟に引き上げてもらえるからね」

幸右衛門の指示を聞いた後、皆で瑞垣《みずがき》の内から神社中央の参道に出る。身を隠す場所のない広い石畳の上に出て、寸の間、見つかるのではないかとの恐ろしさに、弓月は身をすくめた。しかし子供らにそんな顔を見せるわけにはいかない。一同は息を殺して東殿へ向かった。

池へ向かう途中、身を隠す場所と言えば、そこしかなかったからだ。やっと離れた建物の陰に、また舞い戻ってきた。

「助かった。皆が逃げ出したものだから、見張りが消えている」

信行の小声が聞こえてくる。確かに東殿には浪士の姿がない。しかし問題はこの先だ。ここにいないということは、四方の門は今多くの浪士によって、一層厳重に見張られているということになる。

池は東門の脇にあるから、数多《あまた》の浪士たちが近くにいる。手に持つ明かりが水面まで届くかもしれない。うまく反対側の岸から水に入れても、水音を聞かれたら、お終《しま》いだ。

池へ行きつくにも、まだ困難はあった。東殿の脇には多くの桜が植えられており、塀近くには木々が茂っている。だがその二つの塊は、かなりの間途切れていた。

(何としてでも浪士たちの注意を、きっちり私に引きつけないと)

弓月は桜を指さした。

「早く木の陰に隠れて。皆が池に近いところの、木々の端に行きついたと思ったら、浪士たちの気を引きます。そうしたらいいですね、もう後ろは見ないで、向こうにある茂みの中へ走り込んでください」

この場所まで来たら、余り話し声も立てられない。皆黙って頷き、すいと弓月から遠ざかっていった。夜だけが身の周りに残って、何とも心細い。ただただ心許《こころもと》なかった。

（一つ、二つ、三つ……）

気を散じないように、頭の中でゆっくりと数を数える。二十となったときに、東殿脇から反対方向へ歩き始めた。なるべく皆から離れるように。しかし物音を立てても、東門にいる浪士たちが気がつかぬまでに離れては、役に立たない。

その頃合いをはかるのが難しかった。恐ろしいから、つい遠くへ行きたくなる。

（あと、どれくらい離れたらいいのかな）

その加減は、脱出法を占った夢告には出てこなかった。

闇の中で本当に浪士に出会ったら、心の臓が驚きで止まってしまうかもしれない。事を起こす前に、囮《おとり》の弓月がそんなことになったら、誰も逃げ出せなくなってしまう。

「くわばら、くわばら」

東門の方を見ながら、小声でそっとつぶやく。

そのとき、目の端に明かりが映った。ひやりとした感覚に抱きつかれる。つんのめるように、しゃがみ込んでいた。空を切る音が頭上を過ぎる。頭の代わりに、烏帽子《えぼし》が斬られたのを感じた。後ろから声が聞こえる。

「あそこだっ」

伊那だ。見ないでも、それだけは分かった。

（じゅ、授与所の奥へ行かなくては。あそこの茂みに逃げ込んだはずだよ）

それで助かるはずだ。確か夢の中で弓月はそうしていた。

ところが。

「おい、ここだ！」

思いもかけないことに、弓月ではなく伊那が、大声を張りあげていた。

（どういうことだ？　占いの中では、こんなことは起きなかったよ）

浪士たちの注意を引けたのだから、これは良しとすべきことなのだろう。だが弓月は顔を引きつらせてしまった。走りながら、酷《ひど》い不安に襲われる。

（……早々に斬り殺されるかもしれない）

『夢告』では、弓月はそう簡単にはやられていなかった。しかし早くも微妙に夢とうつつがずれてきている。

（えいっ。考えたって、どうなるものではないさ）

茂みに飛び込んだ。そこから木々の間を抜けて行く。刀を振り回せない場所である上に、木の下は一層の闇の濃さだ。後ろで伊那の足が止まるのが分かった。その間になるたけ引き離す。それしかない。

頭の中が真っ白になっていた。追っ手を掛けられている今の状況は、己が望んだものなのに、情けないほどに怯《おび》えている。足がもつれぎみだ。

（夢の内では、もうちっとは落ち着いて逃げていた気がしたんだが）

実際にやってみると、己の方には予定外のことばかり起きる。浪士たちはといえば、きちんと占い通りに数を増やしてきている。逃がしはしないという気迫が、夜の中を伝わってきていた。不公平極まりない。

(これから私はどうしたんだっけ)

思いだせない。どちらに逃げたのだろうか。このまま走っていったら、そのうちに西回廊に突き当たりそうだ。

(それからどうする? 西門の方へ行った方が、皆から離れていいのだろうか。それとも神門目指して左手に曲がった方が、時間が稼げるか……)

答えが出て来ない。それでも足は止められない。闇が破滅への入り口に見え始めたとき、思い切りつまずいた。体がどこまでも転げ落ちて行きそうだ。

そのときだった。闇の中から現れたのは、夢で見た白い手だ。

(本当に出てきた……)

驚きに包まれている間に、支えられ引っ張られる。闇は濃くて、相手の顔もろくに見えない。ただ音をほとんど立てずに走り、素早く方角を変える。目を凝らしてみた。弓月の腕を摑んでいるのは、どう考えても幸右衛門の手ではない。こうして見ると、信行のとも違った。

「止まらないで。こっちです」

今回は気をつけて聞いていたので、声の主が誰か分かった。驚いて思わず真っ暗闇の中、声を出してしまう。

「彰彦さん！　どうしてここにいるんですか？」

舟を用意して、外の堀で皆を待っていてくれたのではなかったのか。

「しっ」

短い言葉の後、二人は思いも掛けず木陰から参道に飛び出していた。浪士に見られるかもと、肝が縮む。強引に石畳の上を横切って、灯籠《とうろう》の間を抜けた。そのうちに、走り込んで行く先が庁屋《ちょうのや》だと気がついて、今度は心の臓が止まりそうになる。

「あのっ、庁屋には浪士がたむろしているのでは……」

「奴らは人殺し、辻斬《つじぎ》りどもなんですから、そこまで堂々と振る舞ってはおりませんよ」

木陰から出たので、月明かりで彰彦の姿が見て取れた。弓月はまた質問を繰り返す。黙れと言われても、これだけは確かめずにはおれなかった。

「皆はどうなったのですか？　舟は……」

二人して何とか目立たない庁屋の陰にすべり込むと、足を止めた。彰彦が口を開く。

「大丈夫。堀には別の者を行かせましたから」

下男と他の神官が、向かったのだという。無事逃げられたかどうか、知らせが来る手筈《てはず》になっている。ほどなく様子が分かるだろうと言われ、弓月はほっと息をついた。

「そうですか。ならばいい」

息があがっていた。もうかなりの間逃げ続けている。運が良ければ今ごろは皆、塀の下を潜《くぐ》り終わり、舟に引き上げてもらっているかもしれない。地面近くにしゃがみ込んだ。

「ほっとしている間はありませんよ。これから弓月さんが逃げる算段をする番です。約束したでしょう。事が終わったら私に協力してくださると」

「……そうでしたね」

ころりと忘れていた。いや、借りを返せるときまで生き延びられるとは、露ほども考えていなかったのだ。

しかし、こうして斬られもせずに息をしていると、何とか逃げきりたいという気持ちが、ふつふつと湧いてくる。今更殺されても、さほど皆の脱出には役に立たないに違いなかった。

「でも……どうやったらいいか……」

一人では池から抜け出る方法も、使えないだろう。他に脱出法などあるのだろうか。弓月が庁屋の陰で黙っていると、彰彦が顔を覗《のぞ》き込んできた。

「もう息が落ち着きましたか？」

「えっ？　ええ」

何故そんなことを聞くのかといぶかしんでいると、思わぬ指示を受ける。

「このまま私についてきてください。いいですか、私から少し離れたところにいて、落ち着いた素振りでいるんですよ。提灯《ちょうちん》の明かりをまともに顔に受けないよう、気をつけてくださいね」

「提灯？　どういうことです？」

質問の答えを待っている暇はなかった。参道を挟んで向かいに立つ木々の間に、追っ手の明かりが幾つも見えてきたのだ。思わず体を硬くしている間に、彰彦はさっさと先に歩んでゆく。それ以上口をきく余裕もなく、後に続く。

余りにも、分からないことだらけだ。それでも弓月には他にできることもなく、ただ彰彦に従ってみるしかなかった。不安が夜を一層暗く感じさせる。まるで墓穴のような深い闇か、夢の中にいるかのようであった。夜が体に絡みついてきていた。

5

そのまま暫《しばら》く庁屋に沿って東に歩んだ。月明かりの下、閉じこめられていた東殿が見えてくる。体にぶるりと震えが走った。皆のことが知りたくてたまらない。しかし、彰彦は沈黙したまま、急いでいる様子だ。

ほどなく弓月にも、彰彦がどこへ行こうとしているのか分かってきた。弓月も行ったことがある場所――神宮寺へ向かっているのだ。

(でも、全ての門には、浪士たちが張り付いているはずなんだが……)

確か神宮寺へ入るところにも、門があったはずだ。

(どうやって通るつもりなのかな)

思わず周りへ目をやるが、神宮寺へ向かう道沿いには、深い木立はない。口の中が乾いてきた。彰彦の歩みは止まらない。

月光の下、まるで何事もなかったかのように、神宮寺の門に差し掛かると、両脇からさっと二名の浪士が道を塞《ふさ》いだ。見たことのない顔だ。その者たちに向かって、彰彦がものの柔らかに挨拶《あいさつ》をする。

「おや、今晩は。こんな遅い時間まで外においでなんですか」

「神官か。どこに向かっている」

誰何《すいか》の声にも、あくまで落ち着いた返事をする。

「どこって……この先は神宮寺ですからね。玄海執行《しゅぎょう》様にお貸しする約束のものがあったのに、お渡しするのを忘れていたのです。それでこんな時刻ですが、訪ねてまいるところでして。確か朝、必要だと言われていたので」

いつの間に用意したものか、袱紗《ふくさ》に包んだ物を懐から出して見せる。下男も寝ている時刻だから、僧房の端をそっと開けて置いてくるつもりだと説明していた。

「お二人は、お見かけしない顔ですね。私は白加巳神社の権宮司《ごんぐうじ》ですよ。後ろにいるのは、禰宜《ねぎ》です」

そう言ってから、何で色々と聞かれるのか分からないとでも言うように、小首を傾げる。するとニ人の浪士は、それ以上は質問をせずに身を引いて道を空けた。

（彰彦さん、うまい言い方をしますね。確かに私は禰宜だ。もっともここの神社の者ではないけれど）

だが彰彦は、弓月が白加巳神社の禰宜だとは、一言も言ってはいない。嘘すらつかずに門をくぐり抜けると、堂々と先へ進んで行く。弓月は浪士たちの持つ提灯の明かりを避けるように気を配りながら、心してゆったりと後をついていった。

（神宮寺へは、さすがに浪士たちも追っては来まい）

寺は幕府の庇護《ひご》も厚い場所だ。浪士たちにとっていわば敵対勢力で、いるのが見つかれば、さっさと町方に届けを出されてしまうだろう。門の内に入ると、弓月は肩から力が抜けてゆくのが分かった。それでも姿が隠れ声が門に届かなくなる辺りまで、黙って歩いていた。

「もう喋《しゃべ》っても大丈夫でしょう」

やっと足を止めた彰彦が振り向く。にこりと笑ったその笑顔を見た途端、がくりと膝《ひざ》が折れて、地面に両の手をついてしまった。

「弓月さん、ここで倒れては駄目ですよ。済みませんがこの先の、塔のところまで歩いてください。そこで舟の様子を見にいってもらった、仁宣《ひとのぶ》禰宜と待ち合わせをしているのです」

皆の消息を聞けるのだと分かって、何とか立ち上がった。前のめりになって歩いて行く。

（うまくいったよね。大丈夫だろうね）

だが約束の場所に着いても、神宮寺は静けさの中にあり、塔の下に人影はまだない。待っている間に、弓月は彰彦に向かって深く頭を下げた。

「助けていただいて、ありがとうございました。神宮寺へ逃げ込むなんてやり方、思いもよりませんでしたよ」

「なに、弓月さんだけが残ったから、使えた手ですよ。神官姿ですし、私の連れならば怪しまれることもないと思ったんでね」

子供たちやお栄がいたのでは、神職でないことが、余りにもはっきり分かってしまう。人数も多すぎる。試しても疑われただろう。それで彰彦は東殿で、逃げ出すのに別の手段を提案したのだ。

（とにかく……本当に助かったんだ）

大きなため息が口をつき、疲れがどっと体を覆う。弓月は塔正面の石階《いしばし》に座り込んだ。

「あとは……早く皆の無事を、確かめたい」

しかしそれから、二人は随分と待たなくてはならなかった。弓月が不安で立ったり座ったり始めたころに、やっと奥の僧房の方から、仁宣が歩いてきた。彰彦が心配そうな顔を向ける。

「遅かったたな。なんぞあったのかい？」

その問いに側で立ち止まった仁宣が、眉根《まゆね》を寄せてから口を開いた。

「私はお言いつけ通り、少し離れた場所から舟を見ておりました。塀の内で何やら騒ぎが起こってから幾らもしないうちに、まずお子たちから順に、水の内から堀川に現れて来まして」

さすがに若い者らは、塀をくぐるのも水から舟へ上がるのも、手早いものだったという。

「ところがその後が、少々手間取ったんです」

問題はお栄だったのだ。

「着物を着たまま水に入っていたので、何とか塀はくぐれたものの、体が酷《ひど》く重くなったご様子で。足場が悪く、下男と子供らでは、舟に引き上げることができなかった。あとから出て来た信行さんと幸右衛門さんが、二人がかりで水の中から押し上げて、舟に乗せようとしていたんです」

いっそ着物を脱いでしまえば良かったのだろうが、岸に上がれば町中を歩いて帰らねばならない。

(それに着物が池の縁に残ったんじゃ、どうやって逃げたか分かってしまうからね。追っ手を掛けられるかもしれない。だからそのまま潜ったに違いない)

「皆さんはお栄さんを舟に上げるときに、どうしても声を合わさなくてはならなかった。それを聞きつけた浪士がいたんです」

「見つかったんですか!」

顔が強《こわ》ばった。命がけで囮《おとり》になったというのに弓月に釣られず、東門付近に残った浪士がいたのだ。

「一人だけだったんですが、東門から顔を出した奴がいまして。刀を抜いて、舟に飛びかかって行ったんです。お栄さんを上げている最中で、舟を出せなかった。そこをやられてしまって」

「皆は……どうなったんですか?」

聞くのが怖い。しかし、知らなくてはならないことだった。青戸屋一家は……信行は無事なのだろうか。

「まったく動けなかったお栄さんが、斬られました。ただ、しっかりと着ていた着物が、今度は役に立ちましてね。刀を防いでくれた。命に関わる怪我ではないと思います」

お栄に斬りつけた直後、浪士は木の棒や濡《ぬ》らした手ぬぐいを使った、子供らの必死の反撃を受けたという。

「浪士が一寸《ちょっと》、怯《ひる》んでいる間に、私と下男とでとどめを刺しました」

話しながら、腰の長どすに手が掛かっていた。あっさりと言われた言葉に、弓月が声を失う。彰彦がその顔を覗《のぞ》き込んできた。

「弓月さん、どうしたのです？　浪士を斬るか斬られるかでしょう？　まさか弟さんが殺されるのを、放っておけとは言われませんよね」

「も、もちろんです！」

彰彦は、神官が人を斬ったと聞いて絶句した弓月を、暗に責めたのだ。神官の身ならば、穢《けが》れは並の人よりも嫌う。それなのに命がけで皆を助けてくれたのだ。

「……弟を、皆さんを助けていただいて、ありがとうございました」

深く深く仁宣に頭を下げた。肝に銘じなければならない。今は生き死にを賭《か》けた逃亡の最中なのだ。

仁宣によれば、その後ともかくも一同は、舟に乗り終わったのだという。

長どすを持った仁宣神官も、彰彦同様、細くてもの柔らかな感じの人物だ。およそ刃物が似合う感じではない。それなのに、使うことに迷いが感じられなかった。

（強い決意だ。理由は何なのだろう）

「とにかくお栄さんを医者に診せなくてはなりません。だが今は青戸屋に帰れないと、幸右衛門さんが言い出しましてね。今度は店の方で、浪士たちに襲われるかもしれないと」

お栄には養生が必要だ。しかし家では安心して寝ていられないかもしれない。

「それで皆さんは、青戸屋さんが持っている寮に向かいました。場所は一部の者にしか知られていないはずなので、そこでなら、ゆっくりできそうだという話で」

自分が知っているのはここまでだと、仁宣は話を締めくくった。弓月は再び、二人への礼を口にする。

「本当に……お礼の言いようもありません。この通りです」

「頭を下げるのは、そこまでにしてください。これ以上だと、こちらの頼み事を言い出しにくくなります」

彰彦の声が、心なしか緊張しているように聞こえた。

（……やっとどんな願いなのか、分かりそうだね）

『願い事』の正体が語られようとしていた。彰彦がゆっくりと弓月に向き合う。はっきりした声が、夜の中に流れた。

「弓月さん、一緒に京に上っていただけませんか」

「京？　どういうことです？　そこで私に何をしろとおっしゃるんですか」

何を頼まれるにしろ、旅をしろと言われるとは、思ってもみなかった。彰彦は言葉を続ける。

「あなたに、この日《ひ》の本中《もと》の、数多《あまた》の神官たちを救って欲しいのです」

第八章

1

「はあ……？」

弓月《ゆづき》はただ呆然《ぼうぜん》とする。

「本気で……おっしゃっているんですか」

どうやったらこの限りなく平凡な己に、日の本中の神官を救うという、鬼神のごとき働きができるというのだろうか。だが神官たちは二人とも、大真面目の様子だ。

「私は旅のための、舟の用意をしてきます」

仁宣《ひとのぶ》がするりとその場を離れ、夜に消えた。弓月は説明を求めて、彰彦《あきひこ》に視線を移す。

「僧房まで、歩きながら話しましょう」

そう言うと彰彦は伽藍《がらん》の方へ弓月を誘い、歩き出した。

「旅をするための荷物を、神宮寺の下男に預けてあります。身支度を整えてから、舟に乗りましょう。川舟を大川河口で下り、そこで千石船に乗せてもらう手筈《てはず》になっております。

これならば、乗ってしまえば大坂まで楽ですからね。その後京へ向けて、また小さな舟に乗り換えです」

彰彦の言葉を、弓月が遮った。

「私が聞きたいのは、先ほどの……冗談のようなお話なんですが」

「冗談事で済むならば良かったのですが」

振り向いた彰彦の足が止まる。少し考える風であった。

「どこからお話ししたらいいでしょうね。そう……青戸屋さんは、廃業する本当の理由を言いましたか？」

頷《うなず》くとまた歩き始め、話を続けていく。

「京にある社家、佐伯《さえき》本家の方でも、今のお上《かみ》の世が、もう長くは続かないだろうという話になっています。社家には古い家柄が多い。上に立つ方々が時と共に変わっていくのを、何度も見て記録に残してきております」

一旦《いったん》流れができてしまえば、時勢というものは、止めることが難しいものなのだそうだ。

（大商人と古き社家が、口を揃えて世が変わると言う。本当に……違う世の中が来るんだ）

だが、ただ変わると言われても、今ある毎日しか知らない弓月には、やってくる明日が想像できなかった。

「お上の問題だと言って、傍観を決め込むことはできませんよ。この度は外国の勢力も、顔を出してきていますからね。この国は皆を巻き込んで、それは大きく変わることになるのです。例えば……神官たちも」

「私たちも？」

「新しいお上を創ろうとしている者の中には、今幕府が庇護している寺ではなく、今度は神道をこの国の第一の教えと、位置づけようとする者がいる。以前に言いましたね」

「ええ……」

神官の身とすれば悪い話ではないはずなのに、何となく素直に喜ぶ気にはなれなかった。甘すぎる話には、胡散臭《うさんくさ》さがつきまとうものだ。

「しかし、そういうことを考えている者たちは、別に神を信じているわけではない。彼らにとって大切なのは、変化なのですよ。それによって新しい世、己らの政《まつりごと》を円滑にすることなんです」

そう告げる彰彦の口元が歪《ゆが》められている。

「だから奴らは、普通では考えられないような突飛なことを、平気ですることもできる」

珍しくも、目つきまで鋭くなっていた。

そのとき彰彦は不意に横を向いた。二人は僧房の横に来ていたのだ。一隅に近づいて戸に手を掛けると、真夜中だというのに心張り棒が外してあったらしく、簡単に開く。手招きされるままに、一緒に部屋の闇の中に入り込んだ。

火打ち石の音と共に、ほどなく小さな明かりが隅に灯《とも》る。普段は物置に使っているのだろう、物の積み重なった部屋の隅に、菅笠《すげがさ》や脚絆《きゃはん》、草鞋《わらじ》、振り分け荷物など、しっかりと旅の用意がなされていた。どう見ても二人分ある。彰彦が脚絆と草鞋を渡してきた。

「話を聞きながら、支度をしてください」

「あの……彰彦さんには確かに命を助けていただきました。三度もです。力をお貸しすると約束もしました。ですが……余りに大きなことを言われるので」

戸惑っている弓月の隣で、彰彦がさっさと支度を進めて行く。もう一度脚絆を眼前に差し出されて、仕方なく弓月も足ごしらえを始めた。そうしないと、彰彦が話を始めない気がしたからだ。

「それで……新しいお上は、何を起こそうとしているのですか？」

「弓月さん、我々神官の手から、神が取りあげられようとしているんです」

目を瞠《みは》る。一瞬、返す言葉に詰まった。

「どうやったら、そんなことができるんですか？　踏み絵でも始めると？　でも今彼らは神道を、国の礎《いしずえ》にする気だとおっしゃいませんでしたっけ」

草鞋を片手に聞く。彰彦がさっと立ち上がり、道中差しを腰に差した。それから真っ直ぐに弓月の顔を覗《のぞ》き込んでくる。

「王政復古が成り、新しい支配体制ができた暁には……彼らは神官の位を、意のままにするつもりなのです。つまり、官吏に神官をやらせるつもりなのですよ」

「………」

すぐには頭がついていかない。そんなことが可能なのだろうか。

「役人が祝詞《のりと》を唱えるのですか？　神を祭り、神事を執り行うと？」

理解できなかった。手に入れたいほど、うま味のある地位とも思えない。それとも上の位の神官方は、考えが及ばぬほどの何かを持っているのだろうか。

「どうしてそんなことを、やりたいんでしょうか」

「神を支配したいのかな。それとも神を信ずるこの国の下々《しもじも》を支配したいのか」

今の世では皆が寺子だ。生まれてから死ぬまで、寺と縁が切れることはない。これからは、神社がその役目を担うというのだろうか。そこを、新しいお上は押さえておきたいのか？

「少々……無理があるような気もしますが。全国に神社は多い。村で支え常には神官もいないような、小さな社もあるはずです。全てに官吏を送るというのですか。大層な物入りだ」

それだけの人をどこから連れてくるのだろうと、弓月は首を傾げている。あっさりと彰彦が答えた。

「神社を統廃合する気らしい。余りに小さい社は整理されるでしょう。神官も減らす気とか。それにある程度は今いる神官を、新たに官吏として任じるのかもしれません。必要だと思った数は」

どちらにせよ神道界は、ひっくり返るような騒ぎになること間違いなしだ。弓月は硬い顔で、立っている彰彦を見つめた。

「それで、どうして私が必要になるのです。小さな社の一神官に過ぎない私が、全ての神官たちを救う主になれるとも思えないのですが」

初めて弓月と出会ったときに、清鏡《せいきょう》神社の庁屋《ちょうのや》で口にした言葉を、彰彦がゆっくりと繰り返した。からかわれたのだと思って、弓月は忘れていたものだった。仄《ほの》かな手燭《てしょく》の明かりが、部屋の内で揺れている。

「言ったでしょう。あなたのお婆様は、京にある古い社家、神代《かみしろ》家当代の、曾《そう》祖父の従兄《いと》弟《こ》の娘の息子の子供にあたる方です。ご存じないのですか。神代家の血筋の男子には『夢告』を得意とする者が、よく生まれるのですよ」

「あれは……冗談ではなかったのですか？」

「神代家と川辺《かわべ》家の繋《つな》がりは、本当です。京の神代本家の方には、もう当主しか残っておられない。しかもあの方は、『夢告』がおできにならないのでね」

それで死なずにいられたのだろうと、彰彦がつぶやいた。弓月は口の中の血の味を思いだす。『夢告』をするものは、短命なのかもしれない。あれは生死にかかわるほど、尋常から外れたものだったのだ。いにしえより神社を守ってきた高名な社家に伝わった力。

「そこいらの神官が行う、ただの『夢告』では役に立たないのです。世の並のものとは別格の力を見せなくては。必死に神代家の血筋を捜しましたよ。そうして弓月さんに行きついたのです」

捜していたのは、古い古い力を扱える神官だ。

「神官は簡単に取り替えが利く者たちではないと、新しい支配者となる者に、その占いの能力を示して欲しいのです。明日を、過去を告げてくださいませんか。神官たちが神社から追い払われないで済むように」

「……もしかして私の夢告を試すために、白加巳《しらかみ》神社と縁のあった、青戸屋《あおとや》さんの跡取り騒動を占わせたのですか？」

本当に見えているのか、どれほどのものなのか、確かめたのだろうか。彰彦がその目で『夢告』を見るために、札差《ふださし》を利用したということか。

だから結果が出るまでは、何としてでも占いを止めようとはしなかったのだ。たとえ浪士たちが介入してきても。

「青戸屋さんが、新太郎《しんたろう》さんを捜していたのは本当です。そしてそのことを、店を閉める口実に使おうとしていた。お栄《えい》さんには色々不満があったようでした。それで、私がこれはと思うお子を見つけてきたら、すぐに夢告をするという話に乗っていただけましたよ」

彰彦は振り分け荷物を手に取ると、足ごしらえを済ませた弓月の肩に掛けてくる。手を引かれて立ち上がった。これから向かう先で何を求められるのか分かって、弓月は大きく頭を振る。

「無理ですよ！　私の夢がいかに不安定でいい加減か、彰彦さんはその目で見たではないですか」

「それは謙遜《けんそん》だ。私はただ、あの夢告に驚いていましたが。ちゃんと新太郎さんも見つかったでしょう」

「どうして……社家の方々、高位の神官方が団結して、この神職の難事に当たらないのですか。私のような小社の一神官に頼るのではなく！」

思わず声が高くなってしまう。しかしどう考えても、弓月一人が負うには重すぎる話に思える。

「新しい勢力は、神道を排斥ばかりはしないからですよ。新政府が立ったら、古い名門の社家は、貴族に列せられるかもしれないという話です」

彰彦の口調は皮肉っぽいものだった。彰彦は名門社家の出身だ。世が変われば京の佐伯家も、その栄誉に浴するのだろう。いや、江戸の神社をまとめうまく立ち回れば、彰彦自身も貴族になれるかもしれない。なのに、どうにも今の状況は気に食わない様子であった。

「我々は何百年、いや千年二千年と長きにわたって神を祭り、神社をお守り申し上げてきた。それを役人の都合で、神社から手を引けという。我慢できません」

「まだ幕府は倒れていない。そのことも、決まったわけではないのでしょう？」

「決まったときには、何をするにも、もう遅いのです」

いつにない彰彦の怖い顔だった。きっと先のことがよく見通せる人なのだろう。故に一層無理無体なことに対する憤りが湧く。

「彰彦さん、どんな状況になったとて、信仰心にまでは、誰も手を出せませんよ。信じる心は、きっと変えないでいられます」

「だから何が起こっても神官たちは我慢しろと？　それは理不尽ですよ！」

とにかく京へ一緒に行ってくれと、彰彦が手を伸ばしてくる。断れない立場なだけに、体が震えた。そのうちに段々と、目の前のほの暗い室内まで歪《ゆが》んで見えてくる。

「えっ……」

占ってもいないのに、また夢告に取り込まれようとしていた。体が大きく傾ぐ。やりすぎたせいだ。ここのところ、まったく夢に制御が利かない。おまけに今回の夢告は、強烈なものになりそうな、そんな予感がした。

「弓月さん？　どうしました？」

彰彦の叫び声が遠く感じられる。この様子では京に行きつく前に、血まみれになって死にそうな気がしていた。

2

僧房の戸が突然開いた。

顔を突っ込んできたのは二人だ。一人は仁宣神官だった。その襟首を摑《つか》まえていて、乱暴に部屋の隅に突き飛ばしたのは浪士の一人、山根《やまね》であった。

薄明かりの中部屋を見回すが、人っ子一人いない。ただ、隅の棚に置かれた手燭の明かりが、まだ灯《とも》っていた。つい今し方まで誰かがこの場にいたのだ。

「ここで待ち合わせたと、この神官に聞いたんだが、姿がないねえ。彰彦さんよぉ、近くにいるんだろう？　聞いているかね」

山根はどうやって神宮寺へ入ってきたかを、面白そうに喋《しゃべ》り出した。仁宣を捕まえ脅して、その連れとして中に入り込んだらしい。そのやり方なら真夜中、起きていた誰かに神宮寺内で見られても、騒ぎにならずに済む。

「権宮司《ごんぐうじ》、この神官から聞いたよ。あんた一体どっちの味方か、分からない感じがしていたが、どちらでもない、己自身のために突っ走っていたわけだ。京へ上って、神官を官吏にしようという話を、止めさせたいと思っているんだって？」

話しながら山根は鋭い視線で、薄暗い室内を見てゆく。猫のように足音を立てずに、足が動いていた。

「そういえば京の仲間に、そんな計画を立てていた奴がいたねえ。新しい世を創る方が先だっていうのになあ。知っていたのに黙っていて悪かったが、言えば神官の協力が得られなくなるかもしれないと思ってね」

それだけでなく他の仲間、例えば伊那《いな》も、そういうこすい辛いやり口は嫌いでねと、山根は歩きながら笑うように言う。

そのとき。腰の刀が抜かれたと思ったら、細い光が部屋の中を走った。

「おや、外れか」

棚の脇から大きなものが降ってくる。二つに切り裂かれた蓑《みの》であった。

「しかし彰彦さんに、神官位についての話が知られているとは思わなかった。他の神官たちは単純に俺の話を信じて、協力してくれたのにな。やっぱりあんたは使える奴だよ。さすがだねえ」

辺りを見据える山根の視線が、段々鋭いものになってくる。総身から近寄りたくもない気配が、滲《にじ》んでくるようであった。

「それにあの、どうにも役立たずに見えた神官のお兄ちゃん、ちゃんと跡取り息子を見つけたんだって？　青戸屋は大喜びだろう。これで彰彦さん、あんたが思惑通り協力してくれていたら……今ごろは我らの計画も成就していたんだ！」

部屋の一角で、山根の足がすっと止まる。

「失敗の責任取ってもらおうか！」

声と共に、立てかけてあった屛風《びょうぶ》に刀が突き刺さる。それは引き抜きざまに、手前に倒れてきた。埃《ほこり》が舞い上がる。

「馬鹿な！　誰もいない？　そんなはずは……」

部屋の隅には、白い着物が落ちているばかり。山根は歯がみした。頭に血が上っている。

「確かに人の気配がしていたのだが……」

消えたはずはないと思ってか、辺りを見回し、見回し見回し見回し……揺れる頭がぐらりと傾ぐ揺れてゆれてゆれ……。

「えっ……？」

山根は大きく目を見開いていた。己が今どこにいるのかが分からない様子で、咄嗟《とっさ》に柱を摑んでいる。

部屋の奥に居たはずが、山根はちょうど今、入って行くような恰好《かっこう》で、僧房の入り口に立ちすくんでいた。足元には殴られて引きずられてきた仁宣が、ここに来たときと変わらない姿で、折れ込むように座っている。

「何だあ？　この場に立ったまま、一寸夢《ちょつと》でも見ていたのか？」

眉間《みけん》に深い皺《しわ》が寄った。気味が悪いと思ってか、総身をぶるりと震わせる。

「そういえばあの神官のお兄ちゃんは、夢を操るんだったっけか」

およそ信じられるような話ではないが、笑ってばかりもいられない様子だ。

「なんてことをしやがる」

山根はぐるりと周りに視線を向けた。

「今どこにいるかは知らないが、二人とも逃げられないよ。神宮寺の周りは、既に仲間が囲んでいる。ここからは出られやしない。あんたらに運は残っていないんだ。それに権宮司さんよ」

最後は吼《ほ》えるように言い放った。

「何をやっても無駄だ！　薄っ気味悪い神官どもは、ほどなく皆、神社から放り出されるのさ！」

山根は腹立たしげに仁宣を部屋内に引きずり込むと、ほどなくして中から出てくる。もう一度闇に目をやったが、首を振った後、闇の中に向け去って行った。

しばし、夜の境内は静かなままだった。だがそのうちゆっくりと、弓月と彰彦が僧房脇の茂みから顔を出す。

「彰彦さん、大丈夫ですか？　気分が悪そうですが」

「それはこちらの言葉ですよ。弓月さんが急に血を吐いたから、慌てて玄海執行《げんかいしゅぎょう》のところへ行こうと、部屋を出たのですよ。しかし……山根も同じ夢を見ていた様子だったが、今のは何だったのか……」

「暴走した私の『夢告』に、巻き込んでしまったようです。多分この場にいた者は皆、同じ夢を見たのでしょう。おかげで斬られずに済みましたがね」

段々弓月には夢告が、抑えきれなくなってきている。おまけに夢は徐々に変わってきていた。夢から覚めたはずなのに、弓月には今も妙な感覚が続いている。顔を上げて周りに目を向けると、月下の風景が所々二重写しに見えていた。

「何と、これは……」

こうして彰彦と喋っているにもかかわらず、まだ完璧《かんぺき》には夢から離れきってはいないらしい。色々な光景が見たいわけでもないのに、血の味と共に目に飛び込んでくる。中には夜の中を歩く浪士の姿もあった。

「とにかく玄海執行様の許《もと》へ行きましょう。弓月さんの手当てが先です。薬をいただかないことには、旅ができそうもないですからね」

「……執行様のところは駄目です。そこに行けば、山根と出くわしてしまいます」

真っ直ぐ闇を見つめたまま、弓月はそう断言する。彰彦が怖い表情を向けてきた。

「……今、何を見ているのですか？　暫《しばら》く夢告はしないでください。具合が悪いのでしょう。倒れてしまいますよ！」

「夢が己の意のままにならないんですよ。見たくなくても見えてしまう。こうなったら、それを利用するしかないでしょう。神宮寺の周りに浪士たちを配置したといっても、にわか作りの計画だ。きっと抜け出る道が見えるはずです」

弓月は立ち上がると、こちらだ、と言ってふらつきながら歩き出した。夜の暗がりの中、ほとんど来たことのない境内の中を、迷うことなく歩んでゆく。彰彦が慌てて後に従った。

「そこの小径《こみち》が分かれているところは、右へ。先にある門には近づかないでください」

更に奥へ奥へと行く。

「弓月さん、玄海執行様に体を診ていただくべきです。僧房へ行くのが剣呑《けんのん》なら、使いを出して、私たちのところへ来ていただきましょう」

彰彦の提案に弓月はきっぱりと首を振る。

「そういうやり方をしても……きっと駄目だと思います。おや、本当に駄目みたいだ。これは、どういうことなのだろう」

今弓月の目に映っているのは、夢告の見せる山ほどの可能性だ。しかし執行と会うという事実には、必ず山根がくっついている。抜け道のない出来事らしい。

考え込んでいると、不意に弓月の目の前が、ぐらりと揺れた。夜の中、二重写しに見えていたものが一気に数を増やす。ぞっとした途端、また強烈な吐き気が襲ってきた。

「は、早く神宮寺から逃げなくては。今なら私には、浪士のいない場所が分かる。逃げられるはずなんだ」

そう思うのに、足が前に進まなくなってきた。彰彦が声を掛けてくるが、何を言っているのか分からない。とにかく声を絞り出した。

「……彰彦さん、絶対に執行様のところに行ってはいけません。今度こそ……死人が出る。行ってしまったら避けられない……」

更に沢山の、様々な光景が目に入ってきた。もう目の前は真っ白だった。

(斬られる。逃げる。来る。ああ、信行《のぶゆき》だ)

弓月は立っていられなくなった。

3

口に何かが流し込まれてきた。

「うっ……ぐえええっ！」

その心の臓を止めそうな、えぐみの塊のような味に、思わず目が覚める。拳《こぶし》一つほど先の目の前に、見てしまった弓月の表情が引きつるほど機嫌の悪い、玄海執行の顔があった。

左手で弓月を支え、右手に椀《わん》を持っている。匂いと味から察するに、飲まされたのは薬湯のようであった。弓月は訪れたことのある神宮寺の板間に、横たえられていた。

「彰彦さんが連れてきてくださったのですね。執行様のところに来るのは、危ないと止めたのに……」

ぼそりとつぶやくと、玄海が顔を一段と恐ろしい感じにした。その表情だけで、弓月を怖がらせて殺してしまいそうだ。

「ふざけたことを言っているんじゃない！　お前さん、体中の血を吐いて、人で作った干物になるところだったんだぞ。連れてきてくれた権宮司《ごんぐうじ》に深く感謝するんだな」

そう言ってちらりと隣にやった目つきが、何やら以前と感じが違う。弓月も横になったまま首《こうべ》を巡《めぐ》らすと、そこには彰彦と——山根がこちらを見ていた。

（やはりここに現れたか……）

夢告があそこまではっきり見えたときは、まずその事実に間違いはない。執行に会えば、山根と嬉《うれ》しくもない再会を果たすことは、分かっていたのだ。彰彦にもはっきりと、そう言っておいたはずだ。

（そうと知っていたのに、連れてきてくれたんですね）

また命の借りができてしまった。しかしこの先彰彦に借りを返すのは、もう無理かもしれない。こうなったからには、山根に斬り殺される気がする。

（あの世で彰彦さんに謝ることしか、できないかなあ）

この危機を乗り越えようにも、今弓月の目の前には、普通の風景しか見えていなかった。弓月はひからびてしまい、いざというときに役立たずになってしまっている。

そこに山根の口から、面白がっているような、小さな笑い声が漏れた。膝元の行灯《あんどん》の明かりを下から受けて、顔に恐ろしげな影をつけている。

「彰彦さんよ、お前さん京に上った後、この夢見るお兄ちゃんを担ぎ出す気でいたろ。神官が官吏に取って代わられるのを、そうやって止めようとしているんだ。あんた、そいつは無理な話だぜ」

「やってみなくては分かりません。大体そのことに、山根さんは関係ないはずです」

「おお、もちろん、もちろん」

そうは言ったものの、山根の口には今やはっきりと、にやにや笑いが張り付いている。

「だがなあ、前にも言っただろう。俺には京に仲間がいるんだよ。信仰に関わることを、色々考えている奴もいる」

彰彦の顔を、真っ直ぐに見ている。話すことが嬉しそうであった。

「彰彦さんが新政府の意向を変えたいというのなら、そいつの意見も変えねばなるまいよ。だがな、もし本当にこのお兄ちゃんの『夢告』の力が本物だとされたなら――あんたもこいつも、そうと分かった場で、殺されるだけだと思うがね」

「どういうことなんです？」

思わずといった感じで、彰彦が気色ばんで山根を見た。ようやく一本取れたので、山根はご機嫌な様子であった。

「分からないかねえ。為政者が変わろうっていうときなんだ。神官の血筋が神聖なものかどうかなんて、誰の興味を引くっていうんだよ。いや、そんなご大層な血統は、出てきてくれない方が良い。京におわす唯一無二のお方だけが、神聖でなければならないんだ！」

その言葉に彰彦が黙り込んでしまう。山根は更に言いつのった。

「おまけになあ、京の奴らが考えている神社の統廃合には別の意味もある。つまりな、何をするにも金が必要なんだよ」

自分たちに青戸屋の身代が必要だったように、新政府にも莫大《ばくだい》な資金が入り用だ、幾らあっても足らぬほど、必要なのだ。何しろ国ごと変えてゆこうとしているのだから。

「その資金の一部として、奴らは寺社領を召し上げることを考えているのさ。だが、ただ取りあげちまっただけでは、やってゆけなくなるだろう。だから神官は官吏にして、給金を出す。そういうやり方にしようってわけだ」

「寺社領を取りあげられる？」

この話には彰彦だけでなく、玄海執行も顔を引きつらせた。今や上機嫌となった山根は、もう一つ言うことがあると、嫌な笑いを僧に向ける。

「今はこの神宮寺みたいに、神社の内に寺がくっついていたりするが、世の中が変わったら、そうもいかないみたいだぜ。神道を第一とするとき、寺と神社はきっぱりと分けられるそうだ。神宮寺はなくなるのさ」

「な、なくなる？」

玄海はただ呆然《ぼうぜん》としている。辻斬《つじぎ》りだとか、浪士だとか騒いでいるだけだったはずが、こういう裏の話を隠していようとは、思いも寄らなかったのだろう。

「そんなことが……できるはずがない。ふざけた話じゃないか！」

「どうして無理だって言うんだ？　今の公方《くぼう》様が、その座を追われることがあるなら、何が起きたって不思議じゃないだろうに」

山根が、からからと楽しげに笑う。そのとき脇の戸が音もなく開いて、顔だけは見たことのある浪士の一人が部屋に入ってきた。山根の顔つきが、さっと変わる。

「どうだったんだ？」

問われて男は無言で首を振った。

「駄目か。逃亡できたのに安心して呑気《のんき》に店に帰ってくれれば、そこを狙って捕まえたんだが。青戸屋は用心深かったな。くそ面白くもないね」

（人質に逃げられたんだ。なのに何故、浪士たちがまだここに留《とど》まっているか不思議だったけど……そんな手を打っていたのか）

どうやら初めから逃がした場合に備えて、札差《ふださし》の店の近くに、別の罠《わな》を張っていた様子だ。だがそれは空振りに終わってしまった。

「青戸屋がどこへ逃げたか、知っているか？」

山根が真顔で彰彦の顎《あご》に刀の鞘《さや》を突きつけた。彰彦はきっぱりと首を振る。

「知らなければ脅されても答えられない。だから端《はな》から聞きませんでしたよ」

「うまいやり方だな。しかし、こちらとしちゃあ、益々《ますます》面白くない」

静かな部屋に、かちりと鯉口《こいぐち》を切る音がした。山根は癇癪《かんしゃく》を起こしたようには見えない。破れかぶれでもないと思う。

しかし。

（この男は怖い。あの伊那というとんでもない浪士よりも、何をするか分からない……）

弓月はゆっくりと体を起こした。着物が血で濡《ぬ》れている。その様子を彰彦が、こわばった顔つきで見ていたが、声を掛けては来ない。物音一つが、山根をとんでもない行動に走らせそうだった。部屋の内に、ぴんと張った細い糸が、幾つも掛けられているかのようであった。

（返さなきゃ……今、彰彦さんに借りを返さなきゃ。すぐでなければ、二度とその機会はなさそうだ）

それにこの山根を野放しにしては、青戸屋たちだけでなく、今回白加巳《しらかみ》神社に集まった者たちにとっても、心配の種が尽きないことになる。

だが今の弓月には、まともに『夢告』をして逃げ道を探すだけの余力が、もうない。

(それどころかもう一度占ったら、今度こそ死ぬだろうよ。本当に……)

ふと、思いついた。

(誰かを私の夢に巻き込んでいるうちに、私が死んだら、どうなるだろうか)

おそらく……相手もそのまま道連れで、命を落とすしかないだろう。『夢』の力は、人が抗しきれるようなものではない。間違いなく誰も逃げきれない気がする。

(この方法だ!)

今弓月が取れる、唯一のやり方だ。ゆっくりと体を起こした。薬のおかげか、まだ動かすことができる。

「……彰彦さん、玄海執行様、私から離れてください。なるたけ遠くに」

小声で、しかしはっきりと言った。山根の目が細められる。ゆらりとその体が動き、刀に手が掛かった。流れるように刀が抜かれてゆく。その山根に、こちらから飛びついていった。

どん、と、腹の底から突き上げるような衝撃があった。目の前はただただ真っ白だ。すぐに夢に摑《つか》まれたと分かった。数えきれないほどの場面が目に飛び込んでくる。過ぎてゆく。

最初に見たのは、戦いの場面だった。雨がひどく降っている。目の前で、まだ年若い武士が、はちまきをした人物と斬り合っている。周りを見てみれば、話の内でしか聞いたことがないほど、沢山の者たちが戦っていた。合戦だ。足元が泥はねで酷《ひど》く汚れている。戦場一面が泥の海。己までずぶ濡《ぬ》れの気分だ。

のこぎりを引くようにずるずると、若い方が相手を斬り伏せた。(やった) そう思ったとき、パン、パンという音が響いた。それと共に、ばたばたと人が泥の中に転がっていく。見れば先ほどの若い武士も、顔を地面に伏せたまま、動かなくなっていた。

そのとき、足が震えるほどの大音響に包まれ、身がすくんだ。大砲だ。そうに違いない。余りにも簡単に、何もかもがなぎ倒されてゆく。

弓月は大きく目を見開いた。

目の前の光景が変わっていた。戦いは消え失《う》せ、いずれの町なのか、見慣れぬ高い建物が見えた。煉瓦《れんが》造りの壁を見て、異国の地なのかと思ったが、道に目をやって考えが変わった。果物を売っている露店の店主が、髷《まげ》を結っていたのだ。姿を見ても、明らかに江戸っ子のようだった。

場所が移った。晴れた空の下、池の端《はた》を行く袴《はかま》姿の男がいた。その様子を見て驚く。髪が短く刈られているのだ。病み上がりなのか月代《さかやき》がなかった。

からからと大八車の車輪の音がした。なんと引かれてゆく車の上に、人が乗っている。車には屋根まで付いている様子だった。

やがて日が暮れてきたと思ったら、また目を見開くこととなった。道端に立っている高い棒の先が、光ったのだ。提灯《ちょうちん》が下げられているのではない。そんなものとは比べものにならぬほど、明るかった。

また景色が飛んだ。

大きな広間が見えた。沢山の男たちが、大きなギヤマンの杯で、黄金色《こがねいろ》の飲み物を口にしている。酔っぱらっているようだから、酒なのかもしれない。杯の内に泡が立っていて、気味が悪かった。

春の景色になった。門を入ってゆく若いおなごたちが、皆袴をはいている。巫女《みこ》なのだろうか。それにしては人数が多かった。

路上に驚くほど大きな、箱のようなものがあった。人がその中から乗り降りしているようだ。馬が引いているわけでもないのに、動いている。どういう仕掛けになっているのか、見当がつかない。

不意に、体が大きく傾いた。頭の上で、天井が軋《きし》んでいる。地震だ。大きい。余りに大きい！　いつまでもいつまでも、長く長く揺れているように思えた。

やっと収まってからも、暫《しばら》くは足が震えて動けなかった。外に出たら、何もかもが潰《つぶ》れていて、遥《はる》か先の風景まで見渡すことができた。あちこちから煙が上がっている。

（なんてことだ……）

突然、冬になった。今度は揃いの洋服を着た一団が鉄砲を担いで、雪の中を行進してゆくところだった。背後を何かが、凄《すご》い速さで走り抜けて行った。あれは何なのだろうか。見たことがない。見たことがない？　ここは……どこなのだろうか。

次へ、また次へと景色が、人が変わってゆく。もう何が現れても驚く暇もなかった。はっきりと言えば、分からない物だらけだったのだ。

そのうちに、洋服を着た人間ばかりになってゆく。女の脚がにょきりと出されているのを見たときは、思わず声をあげてしまった。変わる、変わる、ひたすらに、驚くほど変わってゆく。

それでもよくよく見てみれば、人の顔自体は、今と同じようであった。ただ髪形が違い、服装が奇妙になった。あとは大層大きな者が増えたなと思えるくらいだ。

段々と、また鉄砲を担いだ者が増えてきた。人々の顔つきが硬い。小さな旗を振り、揃って大声をあげている。何をそんなに吼《ほ》えているのだろうか。

そのとき。

突然もの凄《すご》い、真っ白な光に包まれていた。何が起こったのか分からない。ただ不可思議にも、ひたすらに怖かった。夢の内で、歯を食いしばらねばならぬほどに震えていた。

(神様、神様……助けてくださいっ……)

暫く目を開けることもできなかった。

気がつけば再び別の場面になっていた。目の前の光景は酷く貧しげなもので、皆が腹を空《す》かせ、苛立《いらだ》っている。飢饉《ききん》なのだろうか。毎日が怒りの中にあるような感じがする。

そこに、ずりり、と、震えが走った。

(何だ?)

夢が震えているかのようだった。暴走する夢に乗って、わけの分からないところにまで来てしまっている。そろそろ途方もない終わりを迎えても、おかしくないころだろう。

再び、ずん、と震えた。

新しく目の前に現れた光景まで、揺れている。

(おや)

それは不思議なほど落ち着いた風景だった。さっきまで見ていた怒りが、まったく消えている。黄色い落ち葉が沢山地面につもっていて、それを神官姿の男が箒《ほうき》で掃いていた。

(あれ……?)

見たことのない男だ。この者も、坊主頭から毛が伸びたような頭をしている。知り合いのはずはなかった。だが確かにどこかで見たような顔だ。

（あ……）

弓月が目を見開いたとき、三度目の大きな揺れが体を包んだ。先へ先へ進もうとしていた夢が、驚いたことに白い光で真っ二つに裂かれてゆく。

（何と、刀だ！）

山根だった。その腰の物で、夢を斬り捨てようとしている。

（む、無茶な！）

眼前の風景が、人が、どんどん真っ二つにされてゆく。山根は見えていたものを全て斬り落とすと、見えないものまで斬ろうとするかのように、手を一杯に広げ踊るように刀を振り回し始めた。

4

「……ぐふっ……」

血を吐いた、と思ったときには、喉《のど》に血が溜《た》まらないように、素早く顔を横に向けられていた。

（あ……戻ってきたのか）

驚いて目を開けると、見慣れた神宮寺の一室が見えている。弓月は横に寝かされていた。

脇に蒼《あお》い顔をした彰彦と、玄海執行がいる。離れろと言ったのに、近くに留まったものとみえる。

(この様子じゃあ多分二人とも、一緒に夢を見る羽目になったんだろうね)

だが見た本人ではないから、さすがに弓月のように半死半生にはなっていない。弓月の方は、命があっただけ儲《もう》けものといった状態だった。どうやら帰ってこられたのは、果てしなくどこかへ行かないうちに、山根の剣によって夢を破られたからのようであった。

(驚いたよ。凄い気力だ)

その浪士は、隣で壁に背をもたせかけていた。刀の鞘《さや》にすがり、立ち上がれない様子だ。胸元には血の痕《あと》まであった。夢から戻っては来られたものの、弓月に手で摑まれていた分、『夢告』の衝撃が大きかったのだろう。

「ちくしょう、やられた……」

かすれたような声で、ぶつぶつと何やら言っている。

「今見たのは……何だったんだ？　奇妙な風景ばかりだった。しかし、あの人たちは木偶《でく》には見えなかった。あれは……本物だ」

息が荒い。それでも黙ってはおられないようだった。歯を食いしばりつつ続けている。

「これが、あんたらの言う『夢告』か。確かにとんでもないものだな」

彰彦が近づくと、山根の刀を奪い取る。道中差しで山根の動きを牽制《けんせい》したが、当人は動くこともできずに苦笑している。

そのとき、脇で伸びていた浪士が目を覚ました。こちらも『夢告』に巻き込まれ、気を失っていたらしい。刀がそのままになっていた。彰彦たちは一寸《ちょっと》、顔を引きつらせる。だが起きあがった当人は頓狂《とんきょう》な声をあげると、死にものぐるいといった風情で、部屋から飛び出して行った。よほど怖かったとみえる。

「けっ、ざまあないね。あれで世の中を変えようなんて、おこがましいわ」

山根が蒼い顔を、しかめ面にしている。

「だが確かに……手妻《てづま》には見えない分、恐ろしい代物だ。彰彦さん、あんた、この『夢告』を京に運んだとて、怖がられるだけだよ」

「確かに今回は、凄かったですね」

言われた彰彦の口元に、微《かす》かな笑みが浮かんでいる。

「でも、もう……いいんですよ」

（おや？）

弓月が何とか顔を彰彦の方へ向けたとき、表で大きな声があがった。

「何だ？」

「玄海執行様、さっきの浪士の声ではありませんか」

部屋の内に、更なる大声が聞こえてくる。一人のものではない。沢山の人が境内に入ってきているようであった。足音が素早く横切ってゆく。一段と大きな声が、部屋の中に状況を伝えた。

「抵抗する奴は、斬り伏せてしまえ！」

「あの声は……先にみえていた、定廻《じょうまわり》同心の旦那《だんな》ですよ」

彰彦がさっと板戸を開けた。すると境内に大勢の者が入り乱れていて、捕り物の真っ最中であった。

本格的な捕り物とあれば、そうそう派手な斬り合いとなるわけではない。境内には梯子《はしご》や板戸が幾つも持ち込まれ、大八車まで用意されている。それらを使って浪士たちは四方から囲い込まれていた。

彼らを集めた上で、六尺棒や刺股《さすまた》、袖搦《そでがらみ》といった、長い棒の先に鉄の付いた得物で攻撃が仕掛けられる。目つぶしが投げ込まれる。尋常の手合いではない。短い刀で対抗できるはずもなかった。

案の定囲まれてしまった後、幾らも経たないうちに、浪士たちはお縄になってゆく。斬り捨てられた者もいる様子だ。先ほどの浪士と門にいた二人に違いない。それを部屋の内から目にした山根が、うんざりしたような声を出した。

「参った。これじゃあ逃げきれんかな。なあ彰彦さん、あんたがこっそり逃がしちゃくれないかね」

「ご冗談でしょう」

彰彦の返事はにべもない。だが山根はしつこかった。

「俺は、まだ死ねないんだ。やらなきゃならんことがある。なあ、いいじゃないか。このまま俺が捕まったら、どうなると思う？　俺は責められるのは苦手だ。聞かれたらこの白加巳神社の神官たちが、浪士に協力していたことを白状してしまうよ」

それを知られたくなければ、逃がせと言っているのだ。

そのとき弓月が玄海執行に頼んで、やっという感じで身を起こした。まだ血の味のする口元をぐいと拭《ぬぐ》うと、山根に話しかける。

「山根さん、あんたがどうでもやりたいのは、新しい世の中を創ることでしょう。今の武士の支配を突き崩して」

「おやあ、お兄ちゃんは分かっているじゃないか。感心、感心」

ふざけたような調子の返事だった。弓月は山根に交換条件を持ちかけた。

「この先の世の中がどうなるか、『夢告《ゆめつげ》』が示したことをお教えしましょう。その代わり、神官さん方のことは黙っていてください」

「何だ、逃がしてはくれないのか。そのくせ神官たちは助けろと言う。勝手だね」

「神官たちにはこれから……大変な時代が訪れるのです。楽ができるわけではない。あなたが言っていたんだ。新政府は神官を官吏にやらせるつもりだと」

「えっ……」

山根の目が見開かれていた。弓月の言葉の意味が……すぐには信じられないようだった。

「先ほど山根さんも、『夢告』の中、その目で見たはずです。奇妙な髪形の者が大勢、町を歩いていた。気が付かなかったんですか。夢の中に不忍池《しのばずのいけ》が出てきましたよ。あそこは江戸です。この町はほどなく、ああいう風に変わるのでしょう」

弓月は、少しばかり咳《せ》き込んだあと言葉を続ける。

「武士の姿が消えていました。新しい世の中が来るみたいだ。もうすぐ」

山根は暫《しばら》くの間、声もなく座っていた。随分と長く、そうしていた。

だが、不意に笑い出す。辺りを憚《はばか》らない大きな声だった。闇を裂き響き渡る。

(泣いているんだろうか)

ふとそう思えた。そのうちにその笑い声で、捕り物に交じっていた一人が、部屋の内にいる者たちに気がついた。

「権宮司《ごんぐうじ》、ご無事でしたか」

僧房に顔を出してきたのは、坂上《さかうえ》の親分が連れていた下っぴきの源吉《げんきち》だ。大怪我をしたという話だったが、どうやら親分は無事でいて、町方に連絡を取るのに成功したらしい。

源吉は部屋の奥に、浪士が一人いるのを目に留めて、慌てて他の捕り方を連れに走った。

しかし縄を掛けられるときも、山根は暴れたりはしなかった。そのまま大人しく捕らえられ、捕まった仲間のところに向かう。何も約束してはもらえなかったので弓月はやや心配だったが、これ以上はどうしようもない。

「兄さん！　無事でしたかっ」

一通り捕縛が終わったそのとき、横手から信行の声がした。顔を向けたときには弓月は抱き留められていた。

「お前こそ、大丈夫だったんだね」

その姿にほっとはしたものの、揺さぶられてまた吐き気が起こる。着物に散った真新しい血を見て、すぐに弟の顔が険しくなるのが分かった。

「もう大丈夫ですよ。町方が神社に入った。私が今回のことを知らせに行ったときには、既に坂上の親分さんが怪我を押して、自身番に駆け込んでおいでになったんです」

少々時がかかったが、全ての門にいた浪士たちも逃がさぬように手配して、一網打尽にしたのだと言う。

「これで青戸屋さんも店に帰れます。それにしても兄さん、この血は……」

「おかみさんが怪我をしたと聞いたよ。様子はどうなんだい？」

急いで聞いた問いに、信行は少しばかり苦笑を浮かべる。

「斬られたことを知っているんですね。実は金襴《きんらん》の入ったごつい帯と、重ねて着ていた着物のおかげで、大した怪我はしなかったんですよ。ただ……」

また信行の顔に笑いが浮かんだ。ほっとしている証《あかし》だろう。境内では、まだ捕り方らが動き回っていたが、既に肝心なことは始末がついている。

いっさいが終わろうとしていた。

「あの着物のおかげで、濡《ぬ》れたおかみさんを舟に上げるのが、本当に大変だったんです。いやあ、重くて」

思わず笑ったら、弓月は咳《せ》き込んでしまった。まだ身を起こしているのが辛《つら》い。

「この様子では、弓月さんにはとにかくもう一杯、薬が必要みたいですね」

彰彦の言葉に、玄海執行が無言で薬草を手に取っている。先に飲んだもの凄《すご》い風味を思いだして、弓月の顔から血の気が一層、引いていった。

5

清鏡神社にはその後、静かな日々がまた戻ってきていた。まるで何事もなかったかのように、毎日が変わらない。

相変わらず参拝者も少ないし、金もない。多いのは庭に散る落ち葉くらいだ。いつものように諸事家族でこなしていると、珍しくも客が来た様子があった。弓月と信行は、急いで庁屋《ちょうのや》の方へ顔を出す。

「これは彰彦さん、お久しぶりです。お元気でしたか」

権宮司が下男を連れ、訪ねて来ていた。思わず弓月が腕に目をやると、もう晒《さら》しは巻かれてはいない。彰彦は一番初めに清鏡神社へ来たときのように、静かに落ち着いて笑っている。

「もう具合は良くなられたみたいですね、弓月さん。良かった」

「誰も表にいなくて、済みません。今、お茶を淹《い》れてきますから」

信行が慌てて奥へ向かう。弓月も首元の手ぬぐいを外してから、二人を部屋に招き入れた。

「実は青戸屋さんが、清鏡神社の雨漏りのする屋根の、修繕費を出してくださったのです。直したついでに、他も色々修理をしていましてね」

「それは良かったですね。では、これは他のことに使ってください」

彰彦はその言葉と共に、懐から小さな巾着《きんちゃく》を取り出した。約束通りの夢告の礼なのだという。

「私が好き勝手をしたせいで、とんでもない目に遭わせてしまいました。本当ならこんなものでは済まないと、分かってはいるのですが」

深く頭を下げてくる。そこに、

「止めてくださいませんか」

信行の声が掛かった。静かに部屋に入ってくると、茶を差し出した。

「兄から話は聞きましたよ。正直焦りましたよ。世の中がそんな風に動いていることも、京で神官の身分に関する話が、進められていることも私たちは知らなかった」

彰彦が思い詰めた気持ちは、分かるという。

「というよりも……とんでもない騒ぎになったことではありますが……私たちは、彰彦さんの行動が、嬉《うれ》しかったのです」

神官たちのことを思っての話であった。他の誰がそんなことを、してくれるというのだろう。彰彦がゆっくりと顔を上げ、また少し笑った。

「いいえ……私はただ、変化が怖かったのかもしれません。神官こそ何も変わらないまま、時と共に歩む者だと、そう勝手に思っていましたからね」

それがいきなり神社と引き離されるかもと聞かされて、冷静な判断と考えが吹っ飛んだのだ。

「こうしてここにいると、何も変わらない気がしてきますね。余りにも静かだから」

小さな境内の午後。雀が地面で何か食べていて、通りからは物売りの声が聞こえてくる。昨日もその前も、あった光景。しかし、何もかもいつかは変わってゆくのだ。

「弓月さんの『夢告』に巻き込まれ、夢を見たことで、それが分かりました。あれが全てではなく、別の可能性もあるとは言われたが……あの夢と似たような明日が、そのうち来る気がします」

「彰彦さん、山根は京に行っても、殺されるだけだと言っていましたが……彰彦さんご自身は、京のことは諦《あきら》められたんですか？」

白加巳神社を出て以来、弓月は初めてこのことを聞いた。向かいから笑いが返ってくる。

「おや、弓月さんは行きたくなったのですか」

「と、とんでもない。私はもう、『夢告』の儀式はしないのです。父にも了解してもらっています」

「そうですか。あれは酷《ひど》くお体に障るみたいだった。仕方がありませんね」

ゆっくりと茶を飲んでから、彰彦がまた口を開いた。

「私は何としてでも、神社から離れたくはなかった。できたら子々孫々、神官を続けて欲しい。それが望みだったんです」

だが『夢告』で見た光景は、先のことだとは分かったものの、余りにも凄《すさ》まじく今と変わってしまっていて、彰彦の手には余ったのだという。

「人一人が、先の話にどうこう言うのは、僭越《せんえつ》だと分かりました。目で見たのに、まったく何が何だか分からないものもあった。あれを私がどうこうできるわけがない」

それに、と、また小さく笑った。

「嬉しいこともあったんです。弓月さん、夢の内で気がつかれましたか？」

『夢告』が消える直前、神社で木の葉を掃いている神官を、確かに見た。

「あの人は間違いなく、私の血筋です。そのことだけは、見て分かったんです」

神を信じる気持ちだけは、取りあげられはしない。それを持ち続けていれば、いつかまた神社と神の許《もと》へ戻れる。そう確信できた。

「あれで、憑《つ》き物が落ちたようになりました。他の神官さんたちにも、また神社に帰る機会は巡ってくるのかもしれません」

だからもう京には行きませんと言う。弓月はわざとらしくも、大きくほっと息をついてから、笑った。

彰彦が帰った後の部屋で茶碗《ちゃわん》を片づけつつ、一つだけ引っかかると、信行が首を傾げていた。

「兄さん、『夢告』の中で見た神官て……黄色い葉っぱを掃いていたという人のことでしょう。その人、うちの子孫だって言ってませんでしたっけ？」

「うん、私にはそう見えたんだけど。でも考えてみたら……両家の血筋が入っていても、不思議じゃあないかもね。何しろ世の中が変わるんだそうだから。身分の別とて、この先なくなっていくのかもしれない」

その言葉に、信行がにやりと笑う。

「どちらにせよ、あの山根が余分なことを言わなかったおかげで、彰彦さんをはじめ、白加巳神社の皆が助かって、良かったですよ」

そう言って弟は茶碗と共に奥へ消えた。弓月はささやかな庭に目を向ける。

あの浪士は、自分が神官たちを脅して言うことをきかせたと、そう言ってくれたのだ。親分の話では島流しに決まったという。だが勤王方だから、本当に次の世の中が来たら、真っ先に江戸に帰ってきそうだ。

伊之助の父、竹之助も捕まったが、江戸払いで済んでいた。伊之助は今、正五郎と共に青戸屋に世話になっている。

(今度のことでは、吉也《きちや》さんやお福さんが亡くなっている。確かに悲惨な大事だったんだ)

しかし。目の裏には『夢告』が見せた光景が張り付いていた。これから世が変わるにつれて、二人以外にも沢山の人たちが亡くなるだろう。生計《たつき》の道をなくす人も、山と出てくるに違いない。神官だけが嵐に揉《も》まれるわけではないのだ。

(お武家方は真っ先に困るだろう。岡っ引きの親分さんだとて、官吏に取って代わられそうだね。でも皆きっと……何とかやっていくさ)

それぞれ変わってゆく世の中に、ちゃんと対応できていくはずだ。遥《はる》か先の夢の中で、あの若い神官は、ゆったりと黄色い木の葉を掃いていたのだから。

ふと部屋の奥を見る。古びた壁があるはずのそこに、見慣れぬ光景が映っていた。ざんぎり頭の己がいる。隣で弟と彰彦が笑っていた。

（参ったね。もう『夢告』をするのに、何の準備もいらないよ）

弓月は以前よりも格段に、よく見えるようになっていた。しかも、今は血を吐くこともない。だが弓月はこればかりは、弟にも話しはしない。きっと墓の中までこの秘密を持っていこうと決めていた。

夢から目を逸《そ》らし立ち上がる。またいつもの雑用をこなすために、弓月は神社の奥へと歩いていった。

一八六六年（慶応二年）七月
徳川家茂《いえもち》、死去。同年徳川慶喜《よしのぶ》、征夷《せいい》大将軍となる

一八六七年（慶応三年）十月

徳川慶喜、大政奉還を上奏

同年　十二月
朝廷、王政復古の大号令を発す

一八六八年（慶応四年）七月
新政府、江戸を「東京」と改める

同年　九月
年号、「明治」と改元

一八六九年（明治二年）五月
戊辰《ぼしん》戦争終結

一八七一年（明治四年）五月
太政官《だじょうかん》布告「官社以下定額等ニ関スル件」公布
官国幣社以下神社の社格を定め、神宮・神社の神官職制を布《し》く

同日
太政官布告「神官ノ世襲廃止ニ関スル件」を発す
神官世襲制　廃止

解説

三橋　曉

古来、眠りのさ中に訪れる夢という現象は、ときに人智《じんち》の及ばない天や神からのお告げとして受け止められてきた。日本の歴史を振り返っても、法隆寺夢殿の由来にもなっている聖徳太子が夢の中に出てきた金人（仏）のお告げを受けたという故事があるし、平安時代には陰陽師《おんみょうじ》は夢判断をその仕事のひとつにしていた、とも言われる。

さすがに近代以降は、夢は科学の分野でとらえられることが多くなり、フロイトやユングらに代表される学問としての考察が行われるようになった。しかし、二十一世紀の現代においても、「夢枕に立つ」とか、「正夢」や「逆夢」といった言葉が日常語として伝えられていることからも判るように、今もって夢は人々にとって不可思議な現象であることに変わりはない。

この物語は、二百六十年もの長きにわたった江戸時代が、そろそろ終わろうとしている一時代。突然浦賀に姿を現した黒船率いるペリーが日本国中をさんざん騒がせた十年ほど後、歴史の大きな節目である大政奉還を目前として、政情も治安も不安定な時代を迎えている江戸が舞台である。

上野のはずれに、清鏡神社という、神職は父子三人、氏子たちもわずかな、なんとも地味で零細な神社があった。宮司である父親を支えるのは、しっかり者の弟信行とへなちょこの兄弓月だが、兄の弓月には、曾祖父《そうそふ》の血を受けて、夢告という不思議な力が備わっていた。

本作のタイトルにもなっている「ゆめつげ」は、すなわち「夢告（むこく）」であり、いわゆる夢を媒介とした予知能力のことである。神社が行う神託のひとつで、トランス状態に入った神官が、夢の中で神からのメッセージを受け取るというもので、夢解きとも、夢占とも呼ばれる。

清鏡神社にとってなけなしのセールスポイントともいえるこの弓月の能力だが、その中身はといえば、実は弓月本人と同様、なんとも頼りない代物なのだ。神社の由来ともなっている鏡を使い、神懸かりの状態に入った弓月が、そこに浮かんだ心象風景を読み解くのはいいのだが、その結果ときたらどれもこれもがとんちんかんで、氏子のばあさんにも呆《あき》れられるばかり。

しかし、へっぽこな弓月の夢告を目当てに、ひとりの人物が訪ねてくるところから、この物語は始まる。来客は、千年以上もの歴史を誇る由緒正しき白加巳神社の権宮司、佐伯彰彦と名乗る人物だった。その佐伯が、頭を下げ、大金を積んでまで、弓月に一肌脱いでもらいたいと頼み込んだこととは……。

とまぁ、とまぁ、物語のイントロ紹介はこのあたりまでにして、そろそろ解説としての本題に入るとしようか。本書『ゆめつげ』は、二〇〇四年九月、角川書店から書き下ろしで刊行された。

まずは作者の畠中恵について、簡単に紹介をしておくと、高知県の生まれ。名古屋造形芸術短期大学を卒業後、書店員などの仕事を経て、一九八八年、漫画家としてデビュー。その後、漫画家業と並行して小説作法を学び、二〇〇一年に第十三回日本ファンタジーノベル大賞に投じた「しゃばけ」が優秀賞に選ばれ、作家デビューを果たした。

角川文庫に畠中恵の作品が収録されるのは今回が初めてのことなので、以下にデビューから現在までの小説関係の作品リストを掲げる。これまでの作家として歩みをご覧いただけると思う。（二〇〇八年三月末現在）

『しゃばけ』★2001年12月　新潮社（現在文庫化）
『ぬしさまへ』★2003年5月　新潮社（現在文庫化）
『百万の手』2004年4月　東京創元社（現在文庫化）
『ねこのばば』★2004年7月　新潮社（現在文庫化）

『ゆめつげ』　2004年9月　角川書店　※本書
『とっても不幸な幸運』2005年3月　双葉社（現在文庫化）
『おまけのこ』★2005年8月　新潮社（現在文庫化）
『アコギなのかリッパなのか』2006年1月　実業之日本社（現在ノベルズ化）
『うそうそ』★2006年5月　新潮社
『みぃつけた』★2006年11月　新潮社
『まんまこと』2007年4月　文藝春秋
『ちんぷんかん』★2007年6月　新潮社
『つくもがみ貸します』2007年9月　角川書店
『こころげそう　男女九人　お江戸の恋ものがたり』2008年1月　光文社

★…しゃばけシリーズ

デビュー作の『しゃばけ』は、現代文学や海外文学への志向が強い日本ファンタジーノベル大賞作品の中でも異色中の異色作で、廻船《かいせん》問屋兼薬種問屋である長崎屋の若だんな一太郎と愛すべき妖怪《ようかい》たちが、江戸の町で起こった不可解な事件をめぐって大活躍する。ジャパネスク・ファンタジーというよりは、妖怪の登場する時代小説という趣の作品で、登場人物（妖怪？）たちの親しみやすさと軽妙洒脱《しゃだつ》な語り口が広く読者から支持を集め、忽《たちま》ちのうちにシリーズ化されることとなった（ちなみにシリーズは現時点の最新刊『ちんぷんかん』まで七巻を数え、『しゃばけ読本』というファン必携のガイドブックまで刊行されている）。

その後も人気シリーズを矢つぎ早に上梓《じょうし》し、軌道に乗せる一方で、作者は活躍の舞台を、しゃばけシリーズの以外の時代ものや現代もの、そして新シリーズにも広げていく。そんな中で、江戸市中で起こった町民同士の民事トラブルをめぐって、町名主の跡取り息子麻之助の名裁定が冴《さ》え渡る『まんまこと』が、第一三七回直木賞（二〇〇七年上半期）の候補になったのは、まだ記憶に新しい。惜しくも受賞は逃したが、畠中恵は今、大衆文学の世界でもっとも乗りに乗っている作家といって間違いないだろう。

さて、本作『ゆめつげ』は、先に掲げたリストからも察せられるように、しゃばけシリーズを活躍のホームグラウンドとしながらも、そこに安住を決め込まず、新たな一歩を踏み出した作品といっていい。江戸の市井の人々とその生活が生き生きと描かれていること、妖怪たちこそ登場しないものの、愛すべき主人公がサイキックな超能力の持ち主であることなど、そこに繰り広げられるのは、紛れもないお馴染《なじ》みの畠中ワールドでありながら、本書で作者を知ることとなる新しい読者ばかりでなく、デビュー以来の畠中ファンをも感嘆せしめるいくつかの強力な魅力がある。

そのひとつは、より一層深まった謎解きの面白さである。より一層、と書いたのは、畠中恵の世界は、デビュー以来ミステリとは切っても切れない縁があるからだ。そもそもしゃばけシリーズにしたところが、大江戸人情推理帖《ちょう》と謳《うた》われ、若だんなが次々遭遇する事件を妖怪たちの手助けで解決していくというのが基本的なスタイルになっているし、現代ものの第一作『百万の手』は、十四歳の少年が親友の焼死事件の謎を追うというミステリだった。

そして、この『ゆめつげ』で作者は、とびきり魅力的な謎を読者に投げかける。すなわち、先に紹介した物語のイントロで、貧乏神社にわざわざ出向き、主人公の弓月を訪ねてきた佐伯彰彦の用向きとは、なんとも珍妙な人捜しだった。依頼人は、彰彦の氏子である蔵前に住む裕福な札差で、一人息子の行方を捜してほしいという。

しかしこの迷子捜し、どうやらかなりの訳ありの様子。よくよく訊《き》けば、安政《あんせい》の大地震の折、当時五歳の新太郎が行方知れずとなり、両親は必死に捜したにもかかわらず、ついに見つからなかった。ところが、最近になってもう一度人捜しをしたところ、今度は三人が名乗り出てきた、というのだ。

かつて、推理作家の都筑道夫のもとで創作を学んだというのもむべなるかな。三人の中から正しい一人を探し出すというなんともユニークなフーダニット（犯人探し）の変形が物語の核となってお話は進められていくわけだが、後半に待ち受けるその鮮やかな解決、そのほかにも密室状況からの脱出トリックのようなものまであって、本作はミステリとして読み応《ごた》え十分の仕上がりを見せている。

さらにもうひとつ、本作の江戸時代という時代設定は、作者にとってはまさに自家薬籠《やくろう》中のものだが、その二百六十年にわたる歴史の中で、あえて政治、経済、外交、庶民の生活に変化の波がひたひたと押し寄せてきている幕末を選んだあたりに、本作独特の妙味があるように思う。水戸浪士らによる大老殺害、天皇家と将軍家の婚姻、米価高騰による打ちこわし、そして大政奉還と、新しい時代の足音とともに、クライマックスは物語の緊張感を加速させていく。

おっとりとした人のよさで、和みキャラの主人公の周囲とて、その例外ではない。時代の流れが価値観の転換をもたらし、さらには為政者の目論見《もくろみ》もあって、神を奉る神社も避けることのできない大きな変化が目前にまで迫ってきている。時代のはざまで、主人公弓月は命を削って行う夢告の果てに、やがて大きく成長を遂げていくのだ。

このように、ミステリとしても、時代ものとしても、畠中恵という作家の優れた資質があますところなく発揮された本作は、まさに時代ミステリの収穫と呼ぶに相応《ふさわ》しい。加えて、この作者ならではのファンタスティックなスパイスも絶妙。幕末の江戸に巻き起こったちょっと不思議な騒動の顛末《てんまつ》をお楽しみいただきたいと思う。

本書は平成十六年九月、小社より刊行された単行本を文庫化したものです。

ゆめつげ

畠中《はたけなか》 恵《めぐみ》

平成20年 4月25日　初版発行
令和6年 12月15日　18版発行

発行者●山下直久

発行●株式会社KADOKAWA
〒102-8177　東京都千代田区富士見2-13-3
電話　0570-002-301(ナビダイヤル)

角川文庫 15105

印刷所●株式会社KADOKAWA
製本所●株式会社KADOKAWA

表紙画●和田三造

ISBN978-4-04-388801-6　C0193

角川文庫発刊に際して

角川源義

第二次世界大戦の敗北は、軍事力の敗北であった以上に、私たちの若い文化力の敗退であった。私たちの文化が戦争に対して如何に無力であり、単なるあだ花に過ぎなかったかを、私たちは身を以て体験し痛感した。西洋近代文化の摂取にとって、明治以後八十年の歳月は決して短かすぎたとは言えない。にもかかわらず、近代文化の伝統を確立し、自由な批判と柔軟な良識に富む文化層として自らを形成することに私たちは失敗して来た。そしてこれは、各層への文化の普及滲透を任務とする出版人の責任でもあった。

一九四五年以来、私たちは再び振出しに戻り、第一歩から踏み出すことを余儀なくされた。これは大きな不幸ではあるが、反面、これまでの混沌・未熟・歪曲の中にあった我が国の文化に秩序と確たる基礎を齎らすためには絶好の機会でもある。角川書店は、このような祖国の文化的危機にあたり、微力をも顧みず再建の礎石たるべき抱負と決意とをもって出発したが、ここに創立以来の念願を果すべく角川文庫を発刊する。これまで刊行されたあらゆる全集叢書文庫類の長所と短所とを検討し、古今東西の不朽の典籍を、良心的編集のもとに、廉価に、そして書架にふさわしい美本として、多くのひとびとに提供しようとする。しかし私たちは徒らに百科全書的な知識のジレッタントを作ることを目的とせず、あくまで祖国の文化に秩序と再建への道を示し、この文庫を角川書店の栄ある事業として、今後永久に継続発展せしめ、学芸と教養との殿堂として大成せんことを期したい。多くの読書子の愛情ある忠言と支持とによって、この希望と抱負とを完遂せしめられんことを願う。

一九四九年五月三日